여행작가의 기록

지금 떠나면 행복해집니다

지금 떠나면
행복해집니다

발 행 일	2024년 5월 16일
지 은 이	강경아 김성화 김영윤 박미선 박성하
	서미화 오지원 이영미 하봉곤 홍순미
기　　획	박성하, 이영미
편　　집	이영미
디 자 인	홍순미
발 행 인	권경민
발 행 처	한국지식문화원

출판등록	제 2021-000105호 (2021년 05월 25일)
주　　소	서울시 서초구 서운로13 중앙로얄빌딩 B126
대표전화	0507-1467-7884
홈페이지	www.kcbooks.org
이 메 일	admin@kcbooks.org
ISBN	979-11-7190-019-0

지금 떠나면 행복해집니다

여행작가의 기록

홍순미
하봉곤
이영미
오지원
서미화
박성하
박미선
김영윤
김성화
강경아

글·사진

한국지식문화원
BOOK PUBLISHING

지금 떠나면 행복해집니다
여행작가의 기록

성북50플러스센터에서 함께 뜻을 모은 10인의 여행작가가 선물하는 톡톡 튀고 개성 넘치는 여행 이야기 '지금 떠나면 행복해집니다. 여행작가의 기록'이 발간 되었습니다.

10인 10색 개성 넘치는 여행작가들과 특별한 여행을 떠나보세요. 그들만의 특별한 이야기로 진한 여행의 향수를 자극합니다.

강화도 1004농장의 생명존중 이야기 〈강경아〉
질문으로 떠나는 그림책 여행 〈김성화〉
인생 2막, 나만의 무대를 찾아서 〈김영윤〉
서울 사는 뚜벅이의 재밌는 산책 여행 〈박미선〉
이것만은 알고 오세요. 최소한의 라오스 〈박성하〉
건강한 여행의 시작 〈서미화〉
나를 발견하는 여행, 걷기 〈오지원〉
가고시마는 어떻게 메이지 유신의 고향이 되었는가? 〈이영미〉
걸으며 힐링하는 제주도 순례길 〈하봉곤〉
보통의 소리 〈홍순미〉

따로, 또 함께 더 빛나는 여행 이야기의 퍼즐을 맞추며 소중한 경험을 공유합니다.

공동저서 집필을 도전하며 더 큰 모험에 도전할 수 있는 용기를 얻었습니다. 공저에 함께한 작가 모두에게 응원의 박수를 보냅니다. 작가 모두에게 소중한 기회를 만들어주신 성북50플러스센터 관계자분들께 진심으로 감사의 말씀 드립니다.

권경민
프로젝트 리더
한국지식문화원 대표

TABLE OF
CONTENTS

강경아

kka002486@naver.com

여행작가, 시인
1004클럽나눔공동체 교육국장

"나눔은 행복입니다!"

아름다운 섬 강화도 1004농장에서 체험하는
건강과 힐링 그리고 생명존중 이야기

강화도 1004농장의
생명존중 이야기

고요한 역사의 섬 강화도

강화도, 한국의 서해안에 자리 잡은 이 섬은 고요한 자연과 풍부한 역사가 어우러진 곳입니다. 한때 고려 시대의 임시 수도였던 이곳은, 그 시절의 숨결을 오늘날까지도 간직하고 있습니다.

강화도는 그 자체로도 한 편의 시로 손색이 없고 변화하는 자연과 세월의 흐름 속에서도 변치 않는 역사의 아름다움을 지니고 있습니다.

강화 역사박물관에서는 고려 시대부터 현대에 이르기까지 강화도의 다채로운 역사를 한눈에 볼 수 있습니다. 고구려 고분, 고려 시대의 첨성대, 조선시대의 강화 도성 등 곳곳에 흩어진 유적지는 이 섬이 한국 역사에서 차지하는 중요한 위치를 말해줍니다. 또한, 강화 평화전망대에서는 북한을 바라보며 남북 분단의 현실을 실감할 수 있습니다.

하지만 강화도의 매력은 역사적 유산에만 그치지 않습니다. 서해안의 맑은 바람과 넓게 펼쳐진 갯벌은 방문객들에게 평화로움과 여유를 선사합니다. 또한, 강화도는 고구마, 인삼, 조개 등 다양한 농수산물로도 유명하며, 이를 이용한 지역 특산품과 음식은 여행의 즐거움을 더해줍니다.

강화도의 고즈넉한 마을 길을 걷다 보면, 각자의 이야기를 간직한 작고 아름다운 집들을 만날 수 있습니다. 이곳에서는 시간이 느리게 흐르는 듯하며, 일상의 분주함에서 벗어나 진정한 휴식을 찾을 수 있습니다.

해가 지면, 강화도의 밤하늘은 별빛으로 가득 차오릅니다. 도시의 번잡함에서 멀리 떨어진 이곳에서 바라보는 별은 강화도만의 특별한 밤을 선사합니다.

강화도는 이렇게 자연의 아름다움과 역사적 깊이가 함께하는 곳입니다. 여행자가 이곳에서 경험하는 모든 순간은 마음속 깊이 새겨질 추억으로 남게 될 것입니다. 강화도는 단순한 여행지가 아니라, 여행자 자신을 되돌아보고 새로운 영감을 얻을 수 있는 공간이기 때문입니다.

강화도의 숨은 매력 5가지

강화도는 역사적, 문화적, 자연적 매력이 풍부한 곳입니다. 이곳은 다양한 매력으로 많은 사람을 끌어들이며 특히 역사와 자연을 사랑하는 여행자들에게 인기가 많습니다.

1) 역사적 매력

강화도는 고려 시대부터 중요한 역사적 사건의 현장이었습니다. 고려 시대의 마지막 왕이 이곳에서 몽골의 침략을 피해 도망쳤고, 조선 시대에는 외세의 침략을 막기 위해 여러 차례 요새가 건설되었습니다. 강화도 역사박물관과 강화 평화전망대는 이러한 역사를 배울 수 있는 최적의 장소입니다.

2) 자연적 매력

강화도는 아름다운 해안선과 평화로운 자연경관으로 유명합니다. 강화도 해수욕장, 마니산, 전등사 등을 방문하면 한국의 아름다운 자연을 만끽할 수 있습니다. 특히 마니산은 강화도에서 가장 높은 산으로, 정상에서 바라보는 전망이 뛰어납니다.

3) 문화적 매력

강화도는 전통적인 한국 문화를 체험할 수 있는 곳이기도 합니다. 조양 방직, 강화도 민속 마을과 같은 곳에서는 전통적인 한국의 생활 방식을 엿볼 수 있습니다. 또한, 강화 고인돌공원에서는 선사 시대 유적을 관람할 수 있어 역사와 문화에 관심이 많은 사람에게 매력적입니다.

4) 미식 매력

강화도는 신선한 해산물로 유명합니다. 강화도 방문 시 꼭 맛봐야 할 음식으로는 강화도 특산품인 김과 젓갈 그리고 신선한 해산물을 활용한 다양한 요리가 있습니다.

5) 힐링과 치유 매력

도시의 분주함에서 벗어나 휴식을 취하고 싶은 이들에게 강화도는 완벽한 장소입니다. 아름다운 자연 속에서의 산책, 평화로운 해변에서의 시간은 방문객들에게 중요한 역할을 합니다.

강화도는 이처럼 역사적, 자연적, 문화적 매력이 조화롭게 어우러진 곳으로, 단순한 관광지를 넘어 방문객들에게 다양한 경험과 추억을 선사합니다.

강화도 1004농장에서 찾은
생명존중 이야기

　강화도 양도면 양도교회 뒤편에는 400여 평의 1004농장이 있습니다. 처음에는 밭 전체에 아로니아 나무를 심기 시작하며 농장이 만들어져서 1004 아로니아 농장이라고 부릅니다.

　10여 년 전 시작된 아로니아 농장의 생명 살리기 의미는 지금은 더 다양한 농작물을 심는 등 큰 발전을 이루어 가고 있습니다.

　1004클럽나눔공체의 생명 살리기운동은 단체의 주요 활동 내용에도 소개되었듯이 처음에는 말기 암 환우를 위한 힐링의 하나로 말기 암 환우들에게 영정사진 촬영을 통한 기부활동으로 시작되었습니다.

　활동 초기에는 하필 영정사진이냐면서 거부감도 컸지만, 시간이 지나면서 환우들께서 자신의 예쁜 사진을 긍정적으로 바라보기 시작하면서 생명의 소중함과 살고자 하는 마음을 심어주고 삶에 대한 의욕과 동기부여 등 위로와 희망을 주는 데 큰 역할을 해주었습니다.

　아로니아 농장을 시작하면서 나무 한 그루 그루에 암 환우들 개인의 특별한 명찰을 부착하여 평소에 자기 나무를 스스로 돌보고 수확기에는 자신의 명찰이 달린 자신만의 농장에서 결실의 기쁨을 느끼는 시간을 갖도록 하였습니다.

말기 암 환우기에 언제 어떻게 될지 모르는 상황에서 자기 나무를 기른다는 건 생명의 소중함과 삶의 의미를 스스로 깨닫는 소중한 시간이 되었습니다.

많은 시간이 흘러간 지금은 아로니아뿐만 아니라 참외, 수박, 오이, 보리수, 고구마 등 가꾸는 농작물의 종류도 다양해져 기쁨을 주는 1004농장으로 함께 하고 있습니다.

봄에 농사 준비를 위하여 1004님들이 서로서로 힘을 합하여 밭갈이도 하고 시장에 나가 농사할 모종도 고르고, 특히 고구마 심기는 여러 1004님들이 함께해야 하는 일이기 때문에 농사 준비를 하는 동안에도 봉사와 배려 그리고 사랑의 마음이 꼭 필요하다는 것을 모두가 알게 되었습니다.

봄에 그렇게 여러 1004님들의 도움의 손길이 합해져서 만들어 가는 1004농장은 중간중간 농작물이 잘 자랄 수 있도록 사랑으로 보살피는 마음이 더해져서 무럭무럭 자라는 생명력을 느낄 수 있게 하였습니다.

한 해 동안 열심히 가꾼 농작물은 수확기에는 참여할 수 있는 모든 사람이 함께 수확과 나눔의 기쁨을 만끽할 수 있는 1004농장으로 자리매김이 되어가고 있습니다.

"나눔은 행복입니다!"

강화도 1004농장 (해솔 강경아)

시간이 멈춘
고요한 강화도 1004농장
내 숨소리마저
초침 소리처럼 들리는 곳
고요한 대지 위에 서서
조용히 눈을 감아본다.
가슴 속 아픈 사연
푸른 잎들에 전하고
내가 잎이 되고
잎이 내가 되어
어우러진다.

흐르는 눈물…,
흐르는 땀

나의 작고
지친 몸을
파아란 바람이
토닥이고 지나간다.

강화도 1004농장의 블루베리 꽃 〈강경아〉

김성화

79islove@naver.com

좋은 질문의 힘을 믿고 전파하는 질문 디자이너
그림책마음연구소 대표

"길을 닦고 끊임없이 이동하는 자만이
살아남는다."
- 톤유쿠크『구당서』

그림책을 읽는 동안 우리는
일상을 건너가는 질문을 하며
자신을 돌아보는 여행을 하게 된다

질문으로 떠나는
그림책 여행

여행이 되는 순간

여행의 추억

"자, 여러분! 각자 스마폰의 갤러리를 열고 가장 의미있는 여행 사진을 하나씩 골라 보세요."

최근 어느 모임에 참석했을 때, 진행자가 자기소개 시간에 앞서 참여자들에게 주문한 말이다. 스마트폰 속 앨범을 뒤져본다. 최근 가족 단체 카톡방에 올라온 사진이 눈에 들어온다. 언니와 형부가 친정엄마를 모시고 간 거제여행 사진으로 사진 속에서 엄마는 편안한 미소를 띠고 있다. 이제 연로하시고 몸이 많이 불편해지신 엄마에게 여행이란 언제나 '이번이 마지막 여행'일지 모른다는 의미 내포되어 있어 보는 것만으로도 애틋함이 크기 때문이다. 어쩌다 큰맘 먹고 엄마를 모시고 떠난 여행지에서조차 나는 세 아이를 뒤치다꺼리에 바빴다. 한 번도 저렇게 편안한 엄마의 미소를 본 적이 없다는 생각에 씁쓸한 반성의 마음도 든다.

조원들과 각자의 사진으로 해당 여행을 하게 된 이유, 여행지를 선정한 이유, 여행에서 나눈 이야기, 여행에서 방문한 장소, 여행지에서 먹은 음식, 실수담과 여행에서 맺은 인연에 대한 이야기를 나눈다. 달

랑 사진 한 장에 그야말로 이야기꽃이 활짝 핀다. 처음 만난 사이의 어색함 따위 단숨에 날려 버리고, 누군가의 이야기에는 박장대소하고 누군가의 이야기에는 눈물을 글썽이며 방울방울 이야기를 끝도 없이 쏟아 놓는다.

여행의 쓸모

여행은 흔히 일상적인 장소에서 다른 장소로의 물리적인 이동을 뜻한다. 이때 여행은 휴가나 여가 시간을 활용하여 새로운 장소를 방문하고 경험하는 활동이다.

여행과 비슷한 말로 관광이라는 말도 있다. 여행과 관광은 어떻게 다를까? 다니엘 부어스틴의 『이미지와 환상』에 따르면 두 단어는 어원에서부터 차이가 있다. tour(관광)은 고대 그리스에서 원을 그리는 도구에서 유래된 말로 주변을 빙빙 돈다는 뜻인 반면, travel(여행)은 원래 고통, 고뇌, 문제를 뜻하는 travail에서 유래되었다고 한다. 여행에서 즐겁거나, 고통스럽거나, 기억에 남는 일은 목적지에서 보다 그 여정에서 더 많이 일어난다. 여행을 여행답게 하는 것은 목적지가 아닌 그 길 위에서 일어나는 여정인 것이다.

『On the Road』라는 책으로 많은 청춘들을 여행의 세계로 이끌었던 여행작가 박준은 또 다른 그의 책 『떠나고 싶을 때 나는 읽는다』에서 다음과 같이 말한다.

> 누군가는 "여행을 한다고 달라지는 것은 없으며 일상에서 벗어나는 충동 외에 여행의 목적은 없다"고 한다. 그럴 수도, 아닐 수

도 있다. 여행의 패러독스가 아니다. 내가 여행을 하는 것은 달라지기 위해서가 아니다. 물론 달라질 수도 있고 아닐 수도 있다. 하지만 여행을 한다고 해서 무조건 변하는 건 아니다. 일상과 마찬가지로 여행도 만들어가야 하기 때문이다. 필요한 변화는 자연스레 오지만, 그건 어떤 여행을 했는가에 달려 있다.

여행을 통해 당장 뭔가 소중한 것을 얻어 돌아오지 않을 수도 있다. 여행의 의미는 다녀와서 혹은 많은 시간이 지난 후 어느 날 깨닫게 되기도 하고, 한번 찾은 의미가 계속 새로워지기도 한다.

요즘 우리는 수많은 상황에 '여행'이라는 단어를 붙여 쓴다. 책이나 TV 여행 프로그램을 통해 간접경험을 할 수 있는 시대에 우리는 때로 직접 떠난 여행보다 '방구석 여행'을 통해 훨씬 더 상세하고 입체적이며 재미있기까지 한 여행을 경험하기도 한다. '나를 찾아가는 가는 여행'이란 개인적인 성장과 자기 발견을 위해 여행을 떠나는 것을 의미한다. 어떤 새로운 경험을 통해 자신의 강점과 약점을 발견하고, 새로운 관점을 얻는 것을 포함한다. 비슷하지만 '마음 여행'은 내면의 상처를 치유하고 정신적인 안정을 찾기 위해 여행하는 것을 의미하는 경우가 많다. 이는 자연 속에서의 치유적 경험, 명상과 요가를 통한 정신적인 휴식 등을 포함한다.

이처럼 여행이라는 단어는 외부적인 장소를 방문하는 것 이상의 의미로 자기 발견, 성장, 변화를 위한 내면적인 여정을 의미한다.

어떤 여행이든 무엇을 목적으로 하든 그 여행이 의미가 되는 것은 자기 자신의 마음과 생각으로 다녀오는 여행이다. 소중한 추억을 만들고 다양한 경험을 쌓는 것을 넘어, 여행이 우리의 삶에 풍요로움을 더해주며, 삶에 큰 가치를 더해주는 것이다.

일상이 여행이 되는 순간

관광객과 달리 여행자는 스스로 능동적으로 사람과 경험을 추구하는 주체이다. 이런 관점에서 생각해 본다면 일상에서 낯익은 것들에 문득 질문을 던지는 모든 순간 우리는 여행을 할 수 있다. 질문을 통해 우리는 항상 더 나은 이해와 경험을 얻고자 하며, 이를 통해 성장하고 발전하고자 한다. '질문한다는 것은 무엇일까'에 대한 대답은 철학자인 최진석 교수가 광주일보에 실은 칼럼 우물 안의 개구리에서 답을 찾아볼 수 있다.

> 우물 안에서 우물 밖을 꿈꾸는 상상력이 발동될 때, 가장 먼저 일어나는 지적 활동이 바로 '질문'이다. 반면에, 자신이 머무는 우물 안으로만 시선이 향해 있을 때 작동되는 지적 활동이 '대답'이다. 지금 우리의 현실적인 문제는 '대답'의 기능으로 닿을 수 있는 가장 높은 곳에 이미 도달해버렸기 때문에, 그 다음을 노려야 하는데, 계속 우물 안에만 머물려 하거나 우물 안에 머물던 습관을 벗어나지 못하고 있는 것이 아닌가 하는 점이다. 이것을 달리 말하면, '대답'하던 습관을 '질문'하는 습관으로 바꿀 수 있느냐 없느냐 하는 점이다. 우물 안 개구리로 남을 것이냐, 아니면 우물 밖을 향해 튀어나가는 도전을 할 것이냐 하는 점이라고 말해도 되겠다.

인생과 여행

우리는 흔히 인생을 여행에 비유하곤 한다. 다양한 이유가 있겠지만,

여행과 인생은 모두 새로운 경험을 통해 성장하고 배우는 과정을 포함하고 있다. 여행은 새로운 장소를 탐험하고 새로운 문화를 경험함으로써 우리의 시야를 넓히고, 새로운 친구들을 만나고, 다양한 경험을 쌓을 기회를 제공한다.

인생도 비슷하다. 우리는 삶의 여러 여정을 거치면서 새로운 상황에 직면하고, 새로운 사람들을 만나며, 계속해서 배움과 성장의 기회를 맞이한다. 때로는 어려운 산행이나 용감한 모험을 통해 우리의 내면을 탐험하고 극복하는 것도 여행과 비슷한 경험이 될 수 있다.

또한, 여행은 우리를 편안한 영역을 벗어나게 하고 새로운 도전에 동기부여를 주기도 한다. 마찬가지로, 인생도 우리에게 편안한 존재를 벗어나서 새로운 가능성을 모색하고 성장할 기회를 제공한다.

그러므로, 인생을 여행이라고 하는 것은 우리의 삶이 지속적인 탐험과 성장의 과정이며, 새로운 경험과 모험을 통해 더 풍요로워질 수 있는 여정이기 때문일 것이다.

질문으로 떠나는 그림책 여행

여행이 되는 그림책 읽기

대대로 전승되어 온 옛이야기는 인류 정신의 정수이자 원형이라고 할 수 있다. 대부분의 옛이야기가 '갔다가 돌아오기'라는 구조를 갖는 다는 것은 의미심장하다.

옛이야기의 등장인물은 물리적인 여행을 하든 정신적인 여행을 하든 그들은 일상에서 어떤 문제 상황에 처해 길을 떠난다. 길 위에서 각종 우여곡절을 겪고 동행을 만나거나 조력자를 만난다. 우여곡절 끝에 결국 문제를 해결하고 돌아오거나 돌아와서 문제를 해결한다. 많은 경우에 주인공이 문제를 해결하는 과정에서 황당해 보이는 사건들이 일어난다. 이는 상상력을 동원해 아주 아주 크게 넓게 건너가는 일이다. 중요한 것은 목적지가 아니라 그 길 위에서 일어나는 여정과 그 '과정'에서의 성장이다.

모든 그림책은 여행 그림책이 된다

옛이야기 뿐만 아니다. 모든 그림책은 일상의 이야기 또는 우리의 일상을 비유하는 이야기들을 담고 있다. 일상이 그림책으로 눈 앞에서 펼쳐질 때 우리는 비로소 낯익은 것을 낯설게 바라본다. 그림책 속의 시공간으로 빠져 들어가 '그곳'을 거닐며, 그림책 속 등장인물과 대화한다. 그림책을 통해서 일상을 건너가는 질문을 하며 나를 돌아보는 여행하며 성장하는 것이다.

'모든 그림책은 여행 그림책'이 될 수 있고, '그림책 읽기는 여행'이될 수 있다. 다음 장에서는 특별히 '여행'을 주제로하고 있는 두 권을 그림책을 소개하고자 한다. 지금부터 글과 그림에 질문하며 즐거운 그림책 여행을 떠날 테니 따라나서 보자.

오리건의 여행

『오리건의 여행』은 잃어버린 꿈과 자유를 찾아 떠나는 두 친구의 기나긴 여정을 그린 그림책이다. 그림책의 앞뒤 표지를 펼쳐 본다. 유독 큰 판형. 누군가가 널찍한 황금들판을 헤치고 나아가고 있다. 자세히 보니 한 사람이 아니라 두 사람이다. 아니 곰과 사람이다. 한 사람이 곰의 목말을 타고 있다. 목말을 타고 있는 사람의 코에는 빨간공이 붙어 있다. 간단하게 표지그림을 묘사해 보았다. 그림을 묘사하는 동안 여러 질문이 머리 속을 둥둥 떠다닌다.

- 두 사람은 어떤 관계일까?
- 목마를 탄 사람은 왜 코에 빨강코를 붙이고 있는 걸까?
- 둘은 어디로 가고 있는 걸까?

그림책 여행은 이렇게 표지에서부터 질문을 품을 때 시작된다. 목마를 탄 사람은 서커스단의 난쟁이 어릿광대 듀크이고, 곰은 서커스단에서 재주를 부리는 오리건이다. 어느 날, 오리건이 듀크에게 자기를 커다란 숲으로 데려다 달라고 해서 가진 돈을 모두 털어 피츠버그에서 오리건 주를 행해 미 대륙을 횡당하면서 여행하고 있다. 이쯤에서 또 다른 질문이 떠오른다.

- *오리건은 왜 숲으로 가고 싶어 했을까?*
- *듀크는 왜 그 길에 같이 나섰을까?*

좁디좁은 서커스장에서 드넓은 자연으로, 잿빛 도시에서 황금빛 들판으로 여행하는 듀크와 오리건을 그린 글과 그림에 계속해서 질문하고, 그 답을 찾으며 우리도 그림책을 여행한다. 질문의 답은 글에 있기도 하고 그림에 있기도 하다. 때로는 답이 없기도 하고, 모든 것이 답이기도 하다. 그림책은 글과 글 사이, 그림과 그림 사이, 글과 그림 사이에의 해석의 공간이고 사유의 공간이다.

여행의 막바지. 계절이 몇 차례 바뀌는 사이 끝날 것 같지 않던 긴 여행의 끝이 다가온다. 마침내 목적지인 오리건의 숲에 도착한다. 서커스 곰 오리건은 자유롭게 숲 속으로 달려간다. 튜크는 빨강코를 떼어버리고 다시 길을 나선다.

- *오리건과 듀크에게 이 여행은 어떤 의미였을까요?*
- *듀크의 빨강코는 어떤 의미일까?*
- *듀크는 왜, 어디로 떠나는 걸까요?*

오리건에게 이 여행은 잊어버린 자신을 찾아가는 여행이었다. 듀크에게 이 여행의 1차 목표는 오리건을 숲에 데려다 주는 것이었지만, 길 위에서 다음 단계를 실행할 용기를 얻는다. 듀크의 빨강코는 오랜 세월 붙이고 다녀서 떼어지지 않을 것 같던 광대의 상징, 즉 주체성이 없는 삶의 상징이 아니었을까. 마지막에 듀크가 빨강코를 떼어 버리고 자기가 진정으로 원하는 것, 이루지 못했던 꿈을 향해서 떠나는 장면은 나 자신에게 다음과 같은 질문을 던지게 한다.

- *오리건처럼 떠나고 싶다는 생각이 들 때는 언제인가?*
- *나는 어떤 꿈꾸었던가?*
- *나는 잊고 지내는 나의 참모습은 없는가?*
- *나의 참모습을 되찾기 위해 나는 무엇을 해야 할까?*

어린 시절엔 온갖 꿈을 꾸던 우리는 나이가 들면서 점차 현실의 높은 벽 앞에서 좌절하거나 아예 꿈 자체를 잊어버리게 되기도 한다. 그림책 『오리건의 여행』은 특히 마지막 장면에서 각자의 마음과 생각으로의 여행을 이끌며 긴 여운을 남긴다.

바다가 보고 싶었던 개구리

　두 번째 그림책은 뉴욕타임스에서 선정한 2007년 최고의 그림책 중 하나인 『바다가 보고 싶었던 개구리』이다. 작은 연못의 바닥 구석구석까지 너무나 잘 알고 있는 주인공인 개구리 앨리스는 어느 날 갈매기를 통해 연못보다 더 넓은 바다라는 곳이 존재한다는 것을 알게 된다. 앨리스는 바다를 보러 가기로 결정하고 수련 잎을 돌돌 말아 쥐고서 길을 떠난다.

　　- *지금 나는 어디에, 무엇에 머무르고 있는가?*
　　- *우물 바깥 세상의 존재를 알게 되는 순간 나는 어떻게 반응하는가?*

　모험을 시작한 앨리스는 지금까지 한 번도 보지 못한 강물을 만났을 때 포기하지 않고 그 수련 잎을 들고 바다를 향해 나아간다. 앨리스는 성공과 실패를 두려워하지 않고 도전하여, 도약하고 한계를 뛰어넘어 꿈에 그리던 바다를 만나게 된다. 하지만 바다가 만든 파도에 겁이 나서 앨리스는 결국 안전하게 제 연못으로 돌아온다.
　이렇게 뻔하게 끝난다고 생각하는 순간, 이 그림책은 "두 번 다시 작은 연못에서 앨리스를 볼 수 없었답니다."라는 문장과 함께 앨리스가 수련잎을 타고 집채만한 큰 파도를 노련하게 서핑하는 모습을 그리며 반전으로 마무리한다.

　　- *앨리스는 두려움이라는 마음의 한계를 넘어서기 위해 무엇이*
　　　필요했는가?
　　- *앨리스는 어디로 갔을까?*

앨리스는 두려움이라는 마음의 한계를 인정하고, 한계를 뛰어넘으려는 의지와 결심을 보인다. 넓은 세상이 존재한다는 것을 안 이상 앨리스는 연못에 있어도 예전의 앨리스가 아니었을 것이다. 앨리스는 연못에 있어도 넓은 세상에 존재하고 있었던 것 아닐까.

그림책 두 권과 함께하는 질문으로 떠나본 여행을 마치며, 그림책이 더 이상 예전의 그림책이 아니라고 느껴진다면, 일상에서 언제든 여행을 떠날 수 있게 되었다면 성공이다.

여행, 자기 자신에게 돌아오기 위한 떠남

여행의 의미

여행의 대명사와도 같이 쓰이는 단어로 '오디세이' 라는 말이 있다. 소설가 김영하는 『여행의 이유』에서 호메로스의 서사시 『오디세이아』를 소개하면서 오디세우스의 긴 여행에 대해 '그토록 길고 고통스러웠던 여행의 목적은 고작 자기 자신에게 돌아오기 위한 것이었다.' 라고 일갈한다.

그림책과 여행

삶의 본질을 곰곰이 생각해 보면 삶은 때때로 여행 같기도 하다. 모든 것이 내 뜻대로 되지 않는 날이 찾아올 때 삶은 길고 긴 여행이고, 우리는 그 삶을 여행하는 여행자이며, 이 여행에도 끝은 있을 것이라는 생각은 슬프기보다는 위로가 된다.

그림책을 읽고 나누는 일이 여행이 되는 것은 그 안에 담긴 감성과 우리 안에 깃든 욕망을 자유롭게 떠나는 모험으로 연상지을 수 있기 때문이다. 그 길은 새로운 풍경으로 가득 차 있다. 그 여행에서 우리는 예상치 못한 도전과 어려움을 만나는 주인공들과 함께 바다 위를 항해하고 때로는 거센 파도와 바람을 만난다. 모든 터널과 갈림길을 통해 다양한 경험을 만나며, 감동과 사랑을 만날 수 있다. 마음의 발자취를 따라 마주치는 모든 순간이 우리를 변화시키고 성장시킨다. 세계를 더 넓게 보게 된다. 그리고 그 속에서 서로 다름을 인정하고 존중하는 마음을 키워가게 된다. 인생 여정이 어느 날엔가는 끝날 것을 기억하며, 그때까지 삶의 모든 순간을 귀중히 여기며 살아갈 것을 배우는 것이다.

세상의 주인은 질문하는 자

〈질문으로 떠나는 그림책 여행〉이라는 글을 마무리하면서 최진석 교수님의 칼럼을 다시 한번 소환해 본다.

무모한 꿈을 꾼 한 사람에 의해 인간은 우물 밖의 세계를 자신의 영토로 갖는다. 당연히 문화의 확장성은 한계 밖을 향해 무모하게 덤비는 상상력이 결정한다. 상상력 즉 자신의 제한성을 넘어서려는 무모함이 있으면 문화적 활동을 크게 할 수 있고, 그것이 없으면 문화적 활동을 작은 테두리에서 따라 할 수밖에 없다. 자신의 한계를 넘어서려는 시도의 크기가 큰 문명을 살 것인지 아니면 작은 문명을 살 것인지를 결정한다. 결국 상상력은 익숙함에 갇히지 않고 생경한 곳으로 나를 끌고 가서 새로운 세계를 열게 한다.

문제는 이 제한성을 넘어서기가 매우 어렵다는 점이다. 우물의 왼쪽에 있다가 오른쪽으로 옮기고 또 오른쪽에 있다가 왼쪽으로 옮기는 것을 큰 변화나 생명력으로 착각한다. 대답만 해 왔던 우리는 어찌해야 하는가? 우물 밖을 꿈꾸며 질문을 할 때 우리는 세상의 주인이 될 수 있다.

지금 당장 떠나라!

우리는 삶이라는 길 위에서 자신만의 영토를 개척해나간다. 고군분투하는 우리 모두에게 그림책을 동반자 삼아 '질문으로 떠나는 여행'은 훌륭한 영감이 될 것이다. 그림책 여행 뿐이겠는가. 제대로된 질문을 품고 떠난 여행이라면, 여행을 다녀와 좋은 질문 하나를 품는다면 어떤 여행이라도 좋다.

지금 당장, 떠나보자!

김영윤

sunmee9@naver.com

시니어 모델, 챗GPT강사
여행을 글로 옮기는 프로 N잡러

"인생은 책과 같아서, 여행하지 않은
사람은 오직 한 페이지만 읽는다."
- 성 아우구스티누스-

50살 여행 작가의
신기한 세상 구경 이야기

인생 2막,
나만의 무대를 찾아서

접수비 무료의 유혹

52살 나는 한 달에 한 번씩 새치 염색을 한다. 뿌리 염색을 하기 위해 여느 때와 똑같이 단골 미용실에 갔다. 염색약을 바르고 원장님과 수다 삼매경에 빠졌다. 요즘 시청률이 좋은 드라마 내용은 어떤지? 주인공은 어느 배우인지? 여자 주인공은 어떤 옷을 입었는지? 어울리는지 안 어울리는지에 대해 이야기하던 중 화두가 시니어 모델 이야기로 이어졌다.

원장님께서 "언니, 언니도 모델에 도전해 봐요.""잘하실 거 같은데!"라는 말 한마디에 귀가 솔깃했다. 시니어 모델이 정확하게 뭔지? 조건은 어떤 건지? 수입은 어느 정도인지? 궁금증이 생겼다. 궁금한 건 바로 해결해야 하는 성격을 가졌기에 바로 검색해 보았다. 엄청난 양의 모델 사진들이 검색되었다. 깜짝 놀랐다. '이렇게 많은 사람이 벌써 시니어 모델을 하고 있구나!' 싶었다. 일반 모델과 같이 대회, 페스티벌, 패션쇼 등에 출전하며, 이쁘고 날씬하고 속된 말로 쭉쭉 빵빵 잘생긴 외모보다, 자연스럽고 자신만의 개성을 가진 연륜에서 묻어나오는 아름다움을 선호한다는 문구가 눈에 들어왔다. 키가 작으면 작은 대로 통통하면 통통한 대로 다양한 제품들을 홍보할 수 있다고 한다. 문득 중학교 때 날씬

하고 이쁜 친구들과 연예인 되자며, 어린이대공원과 해운대에 옷을 들고 다니면서, 일회용 사진기로 사진을 찍고, 폴라로이드 사진까지 현상해서 앨범에 가득 채우며 놀았던 때가 생각났다. 하하 호호 뭐가 그리 즐거웠는지 그때 생각만 해도 저절로 미소가 지어졌다.

"맞다, 내 꿈이 모델이었지?" 일찍 결혼해서 아내와 엄마로 딸과 며느리로 30년 가까이 살다 보니 나는 없었다. 집, 가게, 집, 가게, 다람쥐 쳇바퀴 돌 듯, 같은 일상만 반복하며 살고 있는 나 자신을 발견했다. 순간 여러 가지 마음이 교차하면서 눈물이 핑 돌았다. 무슨 마음일까? 지금까지 가족들을 위해 열심히 잘 달려왔지만, 마음속 공허함은 채울 수는 없었나 보다. 자녀들은 성장하고 남편은 남편대로 나는 나대로 바쁜 일상을 살다 보니 대화도 줄어들고 아이들도 자신만의 주장이 강해지면서 엄마는 자연스레 옛날 사람이 되어 있었다. 곧이곧은 대로의 삶을 살아온 나, 이제는 가족들보다 잊고 살았던 나의 꿈을 시도해 보기로, 세상 구경을 시작하기로 마음먹었다.

모델 대회의 종류도 무수히 많았다. 예선 접수비가 기본 5만 원에 10만 원까지 다양했다. 접수만 하는 것도 비용을 내야 했다. 대회는 모델의 자질이 있는지 검증을 받기 위한 절차 중 하나이다.
한복 쇼 모델 선발대회!! (참가비 접수비 무료) 키/나이/성별 제한 없음이라는 문구를 찾았다. 서류 접수 시 일반 사진, 핸드폰 사진, 모두 가능 (상반신 전신 관계없음)
'절차가 이렇게 쉽다고?' '그럼, 한번 해 볼까!?' '설마 되겠어?' 하는 생각으로 원장님과 웃으며 셀카 사진으로 Mrs 미시즈 한복 모델 선발 대회에 호기심 반 기대 반으로 접수했다.

며칠 후 예선에 통과하였으니 4월19일 서울 글로벌센터 9층 국제회의장에 참석하라는 문자가 도착했다.

'으악~~' 하며 미용실로 달려갔다. 심장이 "두근두근" '이게 뭐지?' "나 본선 진출하래" 하며 호들갑을 떨었다. 워킹에 "워" 자도 모르는데 어쩌지? 취직을 위해 자기소개서도 한번 작성해 본 적이 없는 나로서는 어떻게 발표하지? 뭘 준비해서 가야 할지 몰랐다. 바로 담당자한테 전화했다.

"노래나 춤, 장기 자랑하실 거 있으시면 준비하시고, 아니시면 그냥 편한 마음으로 오시면 됩니다."

그 말에 위안을 삼았다.

드디어 본선 당일. 며칠 전 임플란트를 하기 위해 치과 치료를 받았었다. 얼굴에 멍이 이렇게 들지는 몰랐다.

'멍든 얼굴로 가도 될까? 가지 말까? 혼자 고민하다가, 그래도 참석하기로 했으니 참여하는데 의의를 두자는 마음으로 준비했다. 현장에 도착해서 또 한 번 놀랐다. 참가자들은 의상과 메이크업을 풀세트로 준비하셨고, 한국 무용 전공자, 연기 지망생, 국악을 전공하신 분들까지 댄서, 지방에서 가수 활동을 하시는 분까지 계셨다. 한복을 좋아하지만, 한복이 없었던 나는 좋아하는 겨자색 삼베 원피스에 올림머리를 하고 대회장에 들어갔다. 심사위원들만 여덟 분이 계셨다.

"김영윤 씨 레드 카펫 라인으로 걸어보세요. 장기 자랑 있으시면 해보세요."

"본인이 이곳에 참석한 계기는 무엇인가요?"

등등 다양한 질문들이 쏟아졌다. 어떻게 답변했는지도 기억이 가물가물, 워킹도 어떻게 걸었는지, 다른 참가자분들이 하는 장기 자랑을 구경하다 본선을 마쳤다.

요즘 미인대회는 외형뿐 아니라 끼나 재치와 같은 엔터테이너적 요소와 인성과 지식, 내면의 평가까지 더 해진다고 했다. 호기심 반 기대 반 접수비 무료라는 유혹에 혹한 결과 결선 진출. 광주대회까지 참석했다. 결혼식 이후 속눈썹과 짙은 화장이 29년 만의 처음이었다. 협찬사 한복전문점 백금자 선생님께서 운영하시는 화려한 오후 수원 매장을 방문했다. 입구에서 또 놀랐다. 화려함과 아름다운 한복, 놀라움의 연속이었다. 대회 의상은 일반 한복이 아니고 퓨전 한복이었다. 눈이 휘둥그레졌다. 마치 공주가 된 것처럼 이것도 입어보고 저것도 입어보고, 벗기가 싫었다. 의상에 한복 액세서리까지 너무 이뻤다. 완전 신세계 여자들의 로망이 모두 다 있는 곳, 이렇게 시니어 모델 여행기가 시작되었다.

15센티미터의 위대함

　광주대회를 마치고 한복 대회를 개최한 미시즈 모델 협회에 가입, 교육을 받으며 모델 활동이 시작되었다. 조건은 두 달에 한 번씩 쇼 개최 시 모델로 참가하고 한 달에 두 번 아카데미에서 모델 워킹 연습과 한복에 어울리는 자태, 자세, 표정과 무용을 배웠다. 시니어 모델의 첫 도전은 호기심으로 시작되었지만, 이제부터는 실전이었다. 스스로 자존감이 생겼다.

　'아무것도 모르던 나도 모델을 할 수 있구나! 정말 되네!'

　그렇게 옷 좋아하고 가방 좋아하던 내가 꾸미기를 잊고 살았었다. 그러던 내가 모델에게 마음을 뺏겨버려서 50살에 무대와 바람이 난 것이다. 기분 좋은 바람이었다. 세상이 온통 핑크빛으로 바뀌었다. 한복 대회에 출전하고 나니 다른 대회나 갈라쇼, 드레스 쇼, 스포츠 의류, 화장품 등등 무수히 많은 패션쇼가 있었다. 다양한 곳에서 연락이 왔다. 아카데미를 등록하고 워킹 연습을 하면서 워킹 지도사 1급 자격증 과정까지 밟았다. 무대에 서는 횟수가 늘어날수록 자존감이 더 올라가고 표정이 점점 밝아졌다. 결혼 후 사진 찍는 걸 썩 좋아하는 편이 아니었다. 웃는 것도 어색하고 사람들이 나만 보는 것 같았기 때문이다. 처음엔 너무 어색지만, 지금은 셀카로 몇십 장의 사진을 찍는다. 쇼가 있는 날이면 100장은 기본으로 찍는 것 같다. 나를 포함 다른 모델들의 사진도 찍어준다. 셀카를 많이 찍으면 표정이 달라지기 때문에 힐링 수업에 30일 셀카 임무도 있다. 사진은 찍으면 찍을수록 이뻐진다. 미소가 더 환한 웃음으로 바뀌는 순간이다.

"영윤 언니가 와야 사진이 남는다니까"라며 매우 좋아한다.

"영윤인 사진을 몇만 장 찍지?"라며 실장님께선 나를 보고 웃으신다. 이쁜 의상과 메이크업, 헤어와 워킹, 자세까지 완벽하게 준비하는 날인데 사진에 남겨 두지 않을 이유가 없다. 나의 이쁜 모습을 간직하고 다른 모델들에게도 남겨 주고 싶기 때문이다. 여행하는 내내 아름다운 풍경이나 음식을 먹으면 추억하기 위해 사진에 남기는 것과 똑같다.

무대에 오를 때의 마지막 무기는 15센티의 하이힐이다. 헤어, 메이크업, 의상이 완벽하게 준비가 되어도 힐을 신지 않으면 완성도가 떨어진다. 공기가 다르다고들 한다. 힐을 신어야 허리가 더 꼿꼿해지고, 어깨가 펴지면서 당당함으로 완착한다. 힐을 신고 몇 시간씩 버티기란 쉽지 않다. 하지만 좋아하고 즐기는 일을 할 때는 그만큼의 고통도 따른다. 화려한 무대라는 도시를 구경하기 위해 당당하게 15센티의 가보시 힐을 신고 레드 카펫을 걸어간다. 허리도 펴고. 어깨도 펴고, 가슴도 활짝 열어주는 하이힐의 위대함. 원, 투, 원, 투, 원, 투, 찍고 턴. 화려한 조명과 카메라 플래시를 즐기며 오늘도 걷는다.

당당히 찍고 턴

일 년이 넘게 세계 일주하듯 이곳저곳의 무대를 구경했다. 연희동 스위스그랜드호텔에서 열렸던 2022년 6월 GMAEA 2022 백금자 선생님의 갈라쇼를 시작해서 미셸 드레스, 미즈 모델 오브더코리아 패션 쇼, 세계 문화축제 한국의 날 청계천 행사, 제니안 청바지의 청바지 쇼, 백지애 디자이너, 각종 선발대회 무대, 라움아트센터 미술관 전시 공연, 강릉 안목항 축제, 2023 대백제전, 요즘 유행인 ESG에 관련된

탄소 중립 C-ZERO 패션쇼까지 다양한 타이틀의 쇼와 호텔을 다니며 무대에 올랐다.

여행 일정이 확정되면 어디서 먹고, 자고, 현지를 구경하는 계획을 세워서 움직이듯이 쇼 일정이 나오면 미리 디자이너의 매장에 방문해서 콘셉트에 맞는 옷을 정하고 수선하고 액세서리는 뭐로 할 건지 미리 정해진다. 보통 쇼는 15분 내외로 연출이 끝난다. 그 시간을 위해 피팅하고 워킹 연습과 무대 나오는 순서, 탑 포즈는 어디서, 시선은 어디로, 옷에 맞는 퍼포먼스는 어떻게 할 건지, 모든 준비가 끝난 다음에야 현장에 간다. 현장에서도 어떤 변수가 있을지 모르기 때문에 여행용 가방에 다양한 소품들을 들고 다닌다.

부여 대백제전 쇼는 지방 행사기 때문에 새벽 4시에 출발해서 8시경 도착. 몇십 명의 모델들이 헤어, 메이크업과 의상을 갖춰야 하므로 대기 시간이 엄청 길다. 야외무대 같은 경우는 김밥이랑 음료로 대신한다. 배가 고파도 참아야 하고 다리가 아파도, 힐을 신었다, 벗기를 반복하며 무대에 오를 시간을 기다린다. 연출가 선생님께서 연습 때 동선이나 추임새가 마음에 들지 않으실 때는 현장의 진행도 바뀐다. 집중하지 않으면 바로 실수로 이어지는 무대. 체계적이고 섬세하고 의상, 분장, 동선, 음악에 조명, 효과까지 모든 게 하나가 되어야 완벽한 쇼가 만들어진다. 짧은 무대를 위해선 많은 시간과 노력이 투입되고 경제적 비용도 만만치 않다.

현재 시니어 모델들이 보수를 받고 하시는 분들은 극히 많지 않다. 그것도 모델 세상을 구경하면서 놀랐던 것 중의 하나이다. 그 무대에 오르기 위해 비용을 내고 더 이쁜 옷을 입기 위해 추가비를 내는 경우도 허다하다. 왜? 그 무대는 나만의 무대이고 내 모습이 다른 모델들보다 더 돋보이기를 원하기 때문이다.

여러 곳의 무대 경력이 내 프로필의 한 줄을 채워준다. 마냥 신기하고 재미있고, 무대가 좋고, 동료들이 좋아 전국을 돌아다니며 여행했다. 하지만 시간이 흐를수록 무엇을 위해서라는 생각이 들기 시작했다. 주변에 시니어 모델이라고 이야기하고 사진도 공유하지만, 막상 "나는 이런 모델이야"라는 명함이 없었다. 갑자기 나의 타이틀을 만들어야겠다는 생각이 들었다. 너무나 멋진 모델들이 많아서 대회에서 상 받는 건 관심도 없었는데 이력서에 대회 수상 이력을 올리고 싶다는 생각이 나를 지배했다. 돈으로 상을 사는 게 아닌 공신력 있고 신뢰가 가는 대회를 검색했다.

딱 눈에 들어오는 대회 하나. 인스타그램에서 실버 아이TV에서 주관하고 사단법인 한국 시니어스타 협회에서 개최하는 K-시니어 뷰티 콘테스트대회가 열린다는 소식을 접했다. 방송사에서 주관하는 대회이니 당연히 공신력은 있을 테고 1회 대회니까 나한테도 기회가 될 것이라는 확신이 들었다.

접수를 하고 10월23일 예선에 출전했다. 경기도 고양시 일산동구 태극로 60 ㈜실버아이티비에서 예선을 치렀다. 지식과 교양은 단시간 내에 쌓을 수 없다. 내가 가진 능력을 단시간에 표현하고 보여줄 수 있는 자기소개와 장기 자랑으로 준비한 "현숙의 행복은 눈앞에" 노래를 열창하며 운전하다 보니 한 시간이 어떻게 지나갔는지 모르게 도착했다. 역시 예선장 열기도 뜨거웠다. 인원이 너무 많다 보니 나이별로 조별로 나눠서 심사가 이루어졌다. 심사도 개별이 아닌 강당에서 지원자들이 다 볼 수 있도록 무대에 올라서 한명 한명 평가를 받았다.

결과는 당당히 예선 통과. 11월 21일 오후 3시 서울 종로구 H. W 컨벤션센터(하림각)에서 본선이 치러졌다. 심사위원들에 연예인들도 많았다. 배우 박혜미. 김리원, 가수 유현상. 숙행. 송우주. 이파니씨 등의 공연 무대까지 특별한 행사였다. 1부 한복 심사, 2부 드레스 심사로 진행됐다. 맛집들의 음식에는 색색의 고명들이 올라가듯 드레스 심사에 준비한 당당한 워킹과 옷의 날개를 활용한 퍼포먼스를 준비했다. 떨려서 무대에서 어떻게 서 있었는지 자기소개는 어떻게 했는지, 카메라 정면을 바라보며 런웨이를 걷고, 탑 포즈 당당히 찍고 턴을 했는지 정신이 없었다. 30분 이상 무대에서 대기 했던 순간. 다른 모델분들의 쇼가 끝날 때, 까지 서 있는 내내 입가에 미소를 유지하며 대회를 마쳤다. 그 아름답고 화려한 무대에서 블루시니어 부문 미, 협찬사 줄로

그패션 스타상을 수상했다. 너무 기뻤다. 하느님 감사합니다를 연거푸 반복했다. 드디어 일여 년의 모델 생활에 결과물이 생겼다.

실버아이TV에서 대회 영상을 크리스마스 특집으로 방영했다. 그날의 감동과 기쁨은 이루 말할 수가 없다. 현재까지의 삶에 가장 기뻤던 순간이고 상이다. 가족들과 지인들의 축하를 받으며 한 단계 더 성장하고 당당해진 시니어 모델 김영윤.

엄마와 아내가 아닌 나를 위한 시간과 일에 도전했던 시간. 시니어 모델 경험과 강사, 책 출판지도사로서 역할을 토대로 나의 장점, 좋은 습관, 행복할 때 느끼는 감정, 하고 싶은 일은 무엇인지? 어떤 상황일 때 가장 활짝 웃는지? 무엇을 할 때 시간 가는 줄 모르고 집중하는지? 대화할 때 가장 자신감 있는 분야는 무엇인지? 나의 인생에서 어떤 성취를 이루고 싶은지, 어떻게 살고 싶은지 소망과 의지를 적어본다.

은퇴 후 모델링, 경제적, 시간적, 신체적 자유를 얻고, 소중한 사람들과 함께 시간을 보내며 성장하고 싶다면 어떤 방향으로 나아갈지 고민해 보고, 생각을 글로 옮기는 여행 작가, 작가의 인생 설계, 살아온 시간 중 나의 역사를 기록하고 돌아보며 그 생각을 글로 풀어본다.

박미선

happysaip@naver.com

도시를 좋아하는
서울 뚜벅이 산책 여행자

"가까운 곳으로 여행은 우리 주변에도
특별한 즐거움이 숨어있다는 것을 상기시켜 줍니다."

차 없이도 재밌는
산책 여행 이야기

서울 사는 뚜벅이의
재밌는 산책 여행

봄꽃 여행, 지금, 여기서

하동 아닌 서울에 있는 하동 매실 거리

봄꽃이 피면 나는 매년 하동 매실 거리를 걷는다. 서울에서 하동은 찾아가기 힘들지 않으냐고? 사실 하동은 가본 적도 없는데 몇 년째 하동 매실 거리를 걸으며 봄을 맞이하는 방법은 따로 있다. 우이신설선 신설동행 지선을 타고 용답역에서 내리면 청계천 변을 따라 하동 매실 거리가 시작된다.

드라마 촬영지로도 알려진 이곳은 하동에 있던 매실나무를 기증받아 심었다고 한다. 그래서 매년 3월 중순이 되면 매화가 피어나기 시작한다. 매화꽃길이 용답역부터 신답역까지 청계천을 따라 펼쳐져 있는데 팝콘처럼 나뭇가지의 가득 새하얀 매화가 탐스럽다. 1km 남짓 되는 구간으로 생각보다 거리가 좀 있어, 산책하며 사진찍기에도 적당하고 길을 따라 흐르는 물소리에 기분마저도 좋아진다.

신답역 인근에서는 예쁜 홍매화가 줄지어 피어있는 것도 볼 수 있다. 매화는 만개하면 짙고 그윽한 향이 공기를 가득 메운다. 바람이 불 때마다 꽃들이 코를 간질거리는 이 느낌. 매화 거리를 걷다 보면 봄이 시작된 것이 느껴지곤 한다. 만약 이 짧은 산책이 아쉽다면 강을 따라 청계천 상류로 거슬러 가거나 지하철을 타고 성수동으로 향해도 좋다.

응봉산 개나리들의 노란 손짓

3월 말 4월 초 성동구 응봉산에 가면 온 산을 노랗게 뒤덮은 개나리 군락지를 볼 수 있다. 경의중앙선 응봉역부터 정상에 있는 팔각정까지는 1km가 채 되지 않는다. 걷는 길은 등산이라기보단 산책하기 좋은 계단과 비탈길이다.

이 길을 걷는 사람들의 행렬에 끼어들어 잠시 노란 꿈길을 걷는 기분으로 비탈을 오르면 사방에 핀 개나리는 겹겹이 쌓여 추상화 화가가 뿌려놓은 노란 점묘화를 보는 듯하다. 무채색이었던 세상에 초록이 물들기 전 잠시 노란 꿈을 꾸는 것처럼 이 순간이 꽤 근사하게 느껴진다. 매년 팔각정에서는 응봉산 개나리 축제가 열리곤 하는데 서울 성동구의 대표 축제라고 한다. 이 기간에는 먹거리장터, 개나리 포토 존 등 다양한 볼거리도 준비돼 있다.

높이가 90m 정도 되는 야트막한 산이기에 등산을 마음먹었다면 다소 민망해질 수도 있는데, 등산을 좋아하지 않는 나 같은 사람에게도 정상의 기쁨을 선사하는 아주 착한 산이다. 이 정도만 올라가도 도심을 한눈에 조망할 수 있다.

고운 분홍빛 물결 원미산 진달래

　비슷한 시기에 부천 원미산은 분홍 진달래로 뒤덮인다. 진달래 꽃
잎을 보고 있으면 한복의 치마 같다는 생각이 먼저 든다. 진달래 꽃
잎의 빛깔이 얼마나 예쁜지 아는 사람이라면 진달래가 사방에 피어
있는 군락지를 걸어보고 싶게 만든다. 높은 산에 오르지 않고도 이
꿈을 이룰 수 있는 곳이 바로 이 원미산 진달래동산이다. 이곳에 가
면 작은 동산 하나가 온통 고운 분홍색으로 손짓하듯 흔들린다.

　대중교통을 이용해 가려면 7호선 부천종합운동장역에서 출발하면
된다. 지하철역에서 도보로 500m 정도 걸으면 벌써 분홍빛으로 뒤

덮인 진달래동산이 나타난다. 진달래동산은 남녀노소 누구나 가볍게 산책할 수 있는 원미산의 산책코스이다.

이곳은 원래 진달래 군락지는 아니었다고 한다. 부천의 시민, 기업, 단체들은 식목일 행사로 원미산에 진달래 묘목을 심는 행사를 하기도 했으며 지역주민들의 화합을 목적으로 진달래꽃 축제를 했는데, 점점 규모가 커지고 묘목들이 자라 풍성해지며 전국에서 모이는 인기 장소가 되었다고 한다.

진달래 축제 기간에는 포토 존이 조성되고 먹거리장터도 열리고 진달래화전을 맛볼 수도 있다고 하는데 내가 진달래 동산을 찾았던 시기마다 축제가 끝나있거나 준비 중이었다. 하지만 진달래 포토 존을 따로 찾지 않아도 될 정도로 모든 곳이 포토 존이었다. 봄을 함께 맞이할 수 있어 한두 시간 여유를 내어 진달래도 보고 먹거리도 먹으며 즐기다 보면 멀리 떠나지 않더라도 기분이 좋아진다.

불꽃 같은 강렬한 봄의 절정 철쭉 22만 그루

안산에 가는 길에 지상철 전철 산본역에서 수리산역으로 달리는 도중 웬 분홍색 산을 발견했다. 저게 뭐지, 싶어 급히 찾아보니 군포 철쭉동산이다. 마침 4월 철쭉꽃이 절정이었던 순간 열차가 그 근처를 지나가며 창밖으로 진분홍빛 큰 동산이 눈에 보인 것이다. 당일 일정을 모두 마치고 집에 돌아가는 길, 나는 다시 그 길을 지나야 했을 때 얼른 수리산역에서 내려 철쭉동산으로 향했다. 이렇게 갑작스러운 여행은 오랜만이었지만 이곳은 처음 보는 사람들을 자석처럼 끌어당길 정도로 매력이 있는 그런 공간이었다.

4호선 수리산역에서 철쭉공원까지는 도보로 3분 남짓. 여기부터 철쭉동산까지 진분홍으로 뒤덮인 공간은 마치 꿈결 같은 느낌이었다. 파도치듯 끝없이 피어있는 철쭉을 보고 나면 그 화려한 순간에 홀린 듯 빠져들게 된다. 이 철쭉동산도 산본신도시의 삭막한 언덕에 시민의 손으로 철쭉동산을 직접 조성했다고 한다. 무려 22만여 그루의 철쭉나무가 자라고 꽃이 피어나는 순간은 봄의 절정에서 휘몰아쳐 울리는 힘찬 음악같이 느껴진다.

철쭉이 만개하는 4월 말쯤에는 군포 철쭉 축제가 개최되며 먹거리, 공연, 전시 등 다양한 볼거리 즐길 거리도 만날 수 있는데 해가 지고 조명이 켜진 공원을 내려다보면 마치 꿈을 꾸는 것처럼 봄이 오래오래 계속되었으면 좋겠다고 생각하게 되기도 한다.

걸어도 걸어도 끝없이 이어지는 장미 터널

강남대로와 청계천 등을 걷다 보면 겹벚꽃과 이팝나무가 한차례 거리를 수놓고 서울숲에는 튤립이 피어나는 계절을 지나다 보면 도보로의 이동이 봄꽃 산책으로 변하게 된다. 꽃에 한눈팔 것을 예상해 조금 일찍 출발하더라도 약속 시간에 겨우 도착하거나 늦기 십상이다.

4월 말에서 5월 초로 넘어가면 봄을 보내고 여름을 시작하는 꽃으로 장미가 피어나기 시작한다. 지하철 7호선 태릉입구역부터 시작되는 중랑 장미공원에는 걸어도 걸어도 끝이 나지 않을 것 같은 장미 터널이 한없이 이어져 있다. 한번은 이런 일도 있다.

"대체 무대가 어디 있나요? 가도 가도 장미 터널밖에 안 보여요."

"그 터널 계속 걸어오셔야 해요."

장미축제는 5월 한 달 내내 이어지지만, 장미가 만개한 순간에는 그랑로즈페스티발이 열린다. 이 기간에는 여러 행사들을 장미공원 곳곳에서 진행하는데 마침 내가 좋아하는 가수가 초대 손님으로 온다는 것이다. 그 소식에 얼른 자리를 잡기 위해 발걸음을 재촉했지만 그럴수록 터널은 더 길게 느껴졌다.

무대가 겨우 보이는 공원으로 찾아왔으나 가득 모인 인파들로 인해 무대 앞 작은 점으로밖에 보이지 않았다. 아쉽게도 무대는 제대로 볼 수 없었지만, 꽃들이 워낙 많고 화려해서 그냥 걷는 것만으로도 꿈을 꾸는 듯했다. 알고 보니 그곳 장미 터널은 5.45km나 된다고 하는데, 나는 고작 1~2km를 걸었을 뿐이었다. 터널의 끝이 보이지 않았던 이유는 터널을 반도 못 걸었기 때문.

장미 터널뿐 아니라 공원 아래위로 주먹만 한 장미부터, 양손 손바닥을 합친 것보다 더 큰 장미까지 다양한 얼굴과 표정을 가지고 있는 장미들이 활짝 피어 공기마저 가득 채우고, 셀 수 없이 많은 장미 꽃밭이 마치 꿈을 꾸는 듯 이어졌다. 장미 한 송이만 해도 5천 원~만 원씩이고, 꽃다발 꽃바구니 하나 들고 사진 찍으려면 내일이면 시들어 버릴 이보다 훨씬 작은 꽃다발도 5만 원씩도 하던데 이렇게 생생한 장미 수백 송이를 공짜로 보고 그 안에 파묻혀 사진도 찍을 수 있다니 이런 이득이 또 있을까 싶었다.

어떤 재밌는 밤 산책 여행

더 유명해지지 말아줘, DDP 서울라이트

사실 미디어를 좋아하는 나에게는 여의도 세계 불꽃축제보다 더 궁금해지는 공연이 바로 이 거대한 미디어아트 쇼이다. 처음 소식을 들었을 땐 울퉁불퉁하게 생긴 건물 외벽에 불빛을 쏘아 만드는 꿈틀거리는 그림이 뭐 그리 신기한가 싶었는데, 실제로 보고 나니 비싸고 웅장한 공연 공짜 티켓을 선물 받아 보고 나온 기분이었다.

15분 남짓 되는 두세 가지 작품이 번갈아 상영되는데 웅장한 소리와 생생한 모션그래픽이 살아 있는 듯 시선을 끈다. 이곳에 모인 사람들은 공원에 눕거나 앉거나 멀찍이 서서 서울라이트의 웅장한 시간을 즐겼다.

요즘은 가을 시즌과 겨울 시즌으로 기간을 정해서 작품을 상영하곤 하는데 겨울 시즌은 크리스마스와 12월 마지막 날 카운트다운 행사도 함께 진행하기 때문에 추운 겨울 기억에 남을 만한 특별한 시간으로 선택하기에도 좋으며 지하철 2, 4, 5호선 동대문역사문화공원역에서 1번 출구로 나오면 어디로 찾아갈 필요도 없이, 출구 앞에 서서 봐도 아주 잘 보이니 추위를 잘 타서 멀리 걷기 싫더라도 재밌게 즐길 수 있다. 사실 더 유명해지고 사람들이 더 많아지면 이 여유로움이 사라질지도 모르겠다는 생각에, 사실 조금은 덜 유명하길 바라는 축제이기도 하다.

서울라이트 미디어 쇼를 보고 나면 디자인 장터 안에 들어가 망고 아이스크림이나 컵라면에 시원한 음료수 하나만 마셔도 내가 사는 이 도시가 흥미진진한 느낌이고, 나는 멋진 여행자가 되어 축제를 즐기러 이곳에 머무는 기분이 든다.

이게 공짜라니! 드론이 그리는 환상적인 그림

봄과 가을, 뚝섬한강공원에서 펼쳐지는 드론 쇼 역시 유료 공연 같은 무료 공연이다. 처음 드론 공연을 보기 위해 공원을 찾았을 때는 호기심과 궁금함이 앞섰지만, 호기심으로 한번 보고 마는 신기함을 넘어서는 재미가 느껴진다.

7호선 자양 역(구 뚝섬유원지역)에서 내리면 드론 쇼가 있는 날은 지하철 승강장부터 안전요원이 배치되었다. 일주일에 한 번 매주 주제가 바뀌는 공연을 볼 수 있는데 어린이날 전후로는 귀여운 아기상어가 하늘에 뜬 모습을 보여주었으며, 롤드컵이 국내에서 개최하는 시기에는 이와 관련된 작품이 펼쳐지기도 했다.

마치 까만 하늘에 뜬 움직이는 별자리를 보는 것 같은 기분에 힐링하는 기분마저도 든다.

드론 공연 전후로는 밴드의 거리공연 등 다양한 볼거리가 이어졌다. 생각보다 공원에 화장실이 많아서 줄이 짧아 마음에 들었는데 편의점 앞에는 긴 줄이 생겨 있었다. 아무리 줄이 길어도 한강에 왔으면 한강 라면을 먹어야 하니까. 보글보글 끓는 얼큰하고 매콤한 향기가 향수로 만들어서 뿌리고 싶을 정도로 매력적으로 느껴진다.

새로운 트렌드, 연말 맞이 트리 사냥
가장 먼저 겨울이 오는 백화점

언제 겨울이 시작된다고 생각하는가? 첫눈이 오면? 12월이 오면? 하지만 쇼핑몰의 겨울은 꽤 이르다. 이르면 10월 말~11월 초가 되면 벌써 커다란 트리가 반짝이기 시작한다. 그리스마스 캐럴이 울려 퍼지며 온통 성탄 빛이 가득하다. 크리스마스 소품이나 트리 코너가 따로 마련되어 있어 화려하고 예쁜 트리나 크리스마스 장식을 보는 것만으로도 설레고, 루프톱도 따뜻한 조명이 공간을 채운다.

요즘은 유명하고 커다란 트리 앞에서 사진을 찍는 것을 '트리 사냥'이라고 부르기도 한다. 명동과 연남동 등 카페거리에는 이에 걸맞은 화려하고 예쁜 트리가 등장하고 사람들은 트리 사냥을 하기 위해 긴 줄을 서기도 한다.

명동 크리스마스 분위기는 매년 더 재밌어지고

겨울이 되면 크리스마스 때에 한 번쯤은 명동을 걸어야 할 것 같은 기분이 들곤 한다. 오래전 이야기같지만, 여전히 명동을 걸어야 하는 이유가 있다. 바로 이곳이 해가 가면 갈수록 크리스마스 분위기를 온몸으로 느낄 수 있는 곳이니까!

지하철 4호선 회현역 7번 출구는 신세계백화점과 연결돼 있다. 매년 날씨가 쌀쌀해지기 시작하면 올해는 신세계백화점에서 얼마나 화려한 미디어 파사드를 보여줄까 설레는 마음으로 기대하게 된다. 그리고 개봉(?) 첫날부터 각종 SNS에는 방문객이 이를 직접 찍은 영상이 마치 아이돌 행사만큼 다양한 각도에서 올라온다.

그중에서도 미디어 파사드가 잘 보이는 곳 쪽으로 사람들이 모여드는데 한국은행 사거리가 한눈에 보이는 '회현지하쇼핑센터' 1, 2, 3, 4번 출구 방향이 가장 명당자리다. 미디어 파사드를 관람하고 나면 천천히 을지로입구역 방향을 따라 걸어본다.

롯데 영플라자의 미디어 파사드 대형 화면 역시도 눈길이 갈 만큼 화려하다. 크리스마스를 떠오르게 하는 음악과 반짝이는 영상은 아, 드디어 한해의 마지막이 오고 있구나 싶은 생각에 신나면서도 괜히 아련한 아쉬움을 느끼게 하고, 롯데백화점을 따라 걸으면 외벽에는 동화책 같은 달콤한 작품들이 한 컷 한 컷 펼쳐진다. 매우 추운 날씨에도 거리를 걷는 사람들의 열기 때문인지 추운 기분이 들지 않는다.

회현 지하쇼핑센터에서부터 을지로입구역까지 고작 500여 미터를 걷는데도, 인파와 볼거리들로 천천히 걸으며 사진을 찍다 보니 30분이 넘게 산책이 이어졌다. 이 산책의 끝은 을지로 입구 역 7, 8번 출구에 있는 집채만 한, 아니 건물 한 채만 한 트리를 사냥하는 것으로 마무리된다. 하지만 그마저도 명당을 잡고 사진 찍는 게 쉽지는 않다. 그저 이 분위기를 느끼며 걸으면 그걸로 족하다.

백화점 안으로 한 발짝 들어가니 마치 놀이동산처럼 꾸며놓은 예쁜 포토 존이 시선을 사로잡았다. 귀여운 캐릭터가 세워져 있거나 거꾸로 된 트리가 신비로운 세계를 만들고 있거나. 크리스마스 산책은 사실 지금부터 시작이다. 따뜻한 백화점 안에서 몸을 녹이고 나면, 시청과 청계천 광화문을 따라 산책을 이어가야 하니까.

잠실과 석촌호수도 연말연시에 찾아야 할 명소 중 하나다. 지하철 2, 8호선 잠실역에 내리면 롯데월드몰로 들어가는 입구부터 크리스마스 향기가 느껴지기 시작한다. 롯데타워 광장

에서 석촌호수 산책길까지 이어지는 화려한 크리스마스 조명부터 주말이면 열리는 다양한 크리스마스 행사들, 그리고 쇼핑몰마다 내걸린 트리와 장식들은 마치 유럽의 크리스마스 마을을 살짝 옮겨다 놓은 것 같기도하다.

반짝이는 회전목마가 놀이동산도 아닌 롯데타워 광장에 나와 있기도 하고, 내부로 들어갈 수 있는 빌딩만 한 트리가 반짝이기도 하고. 매년 해가 지날수록 점점 더 화려해지는 크리스마스 시즌의 분위기는 설렘을 고조시킨다.

찬바람으로 싸늘해진 공기 속에 게으른 사람에게 야외보단 실내 산책이 더 어울릴지도 모른다. 코엑스 지하 1층 코엑스몰에 가면 일단 별마당도서관에 커다란 트리를 사냥하는 것으로 산책을 시작한다. 산책을 시작한다면서 어렵게 빈자리를 찾아 눌러앉으면 별마당도서관의 커다란 책장을 이용한 미디어아트 쇼를 볼 수 있다. 오래된 책들이 살아 움직일 듯 덜컹거리기도 하고 반짝반짝 빛나기도 하는데, 괜히 마음이 설레곤 한다.

이 장면을 처음 봤을 때 너무 신기해서 박수를 치고 싶은데 왜 주위에 다른 사람들은 대부분 아무런 반응도 없을까 이상하게 생각했었는데 알고 보니 15분마다 한 번씩 반복해서 1분~2분 동안 계속 돌아가고 있었던 것이었다. 한두 시간쯤 도서관에 머물며 책을 읽고 있던 사람들이라면 15분에 한 번씩 반짝이는 이 불빛과 소리가 아침 기상 알람처럼 느껴졌을 수도 있겠다는 생각이 들었다. 그 덕분에 관람객

들은 기다리느라 붐비지 않고 여유롭게 쇼를 볼 수 있는 것이었다.

한번은 이런 일도 있었다. 별마당도서관 쪽에서 크리스마스 캐럴을 연주하는 소리가 들렸다. 알고 보니 무료 공연을 하는 날. 도서관을 가득 채운 사람들이 카메라를 들고 고개를 내밀고 있었는데 아이돌 맴버가 보컬로 참여한다고!

온통 성탄 빛이 가득한 것은 코엑스 몰뿐 아니라 코엑스 전시장 1층으로 올라가면 더 와닿는다. 크리스마스와 연말연시 기간 코엑스 윈터페스티발이 열리는데, 플리마켓과 다양한 체험행사, 포토 존들이 연말 분위기를 한껏 뽐낸다. 이 기간 현대백화점 무역센터점 앞 광장은 커다란 트리와 화려한 조명으로 유럽풍 크리스마스 마을을 떠오르게 하는 장식이 가득하고 잔잔하게 울리는 캐럴 소리에 마음이 몽글몽글해지는 경험이 들기도 한다.

누군가는 코엑스와 현대백화점 인근을 이렇게 표현했다.

"그 근처는 전광판들이 서로 자기가 더 빛난다고 뽐내는 것 같아."

그만큼 커다랗고 선명한 전광판들의 반짝임이 화려한 곳이다. 그중 가장 유명한 전광판은 아무래도 영동대로에서 입체적으로 보이는 SM타운 코엑스아티움 전광판이다. 곡면 스크린으로 제작된 전광판으로 농구코트 크기의 4배에 달한다고 하는데 착시현상으로 빈방에 무언가 들어있다가 와르르 굴러 나올 듯한 신기한 느낌이 들기도 한다.

이 거리엔 특별한 게 있다.

교복을 입고 걷는 석촌호수

요즘은 교복을 입고 놀이동산에 가는 것이 유행처럼 자리 잡았다. 그렇다 보니 에버랜드 서울랜드 롯데월드 등 큰 놀이공원이 있는 곳이면 하루 동안 교복을 대여해주는 매장들을 찾기 어렵지 않다. 그런데 잠실은 놀이공원뿐 아니라 백화점, 쇼핑몰, 호수, 맛집 거리(송리단길)까지 근처에 있어 어디든 가고 싶은 곳으로 갈 수 있었다.

벚꽃이 한창 피어있는 석촌호수를 친구와 나란히 교복을 입고 걷다 보니 처음엔 좀 어색했지만, 아득한 학창 시절로 떠나는 기분이 들었다. 어디 다른 데 있기 위해 떠나는 것만 여행이 아니라 평소에 입지 않았던 옷을 입고 산책하는 것만으로도 여행이 될 수 있나 보다.

그런가 하면 종로3가 익선동 근처에는 개화기 복장을 대여하는 가게들이 눈에 들어온다. 개화기 풍으로 꾸민 실내장식의 카페나 오래된 건물 안 맛집에 자리를 잡고 앉으면 이번에는 추억여행이 아니라 시간여행을 백 년도 더 거슬러 가는 기분이다. 단 한 번도 경험해 보지 못했던 1800년대 후반과 1900년대의 초반, 실제 공간이 아닌 꾸며놓은 공간이란걸 알면서도 괜히 낯선 세계에 뚝 떨어진 것 같다.

빈티지 청재킷을 입고 경복궁 국립민속박물관 옆 7080거리를 걷는 다든지, 한복을 대여해 조선시대 궁궐을 거닐어 보는 것도, 마치 내가 주인공인 여행을 떠나는 기분이다.

엽전으로 사 먹는 도시락 산책

3호선 경복궁역 인근 통인시장으로 들어가면 이 곳에서만 해볼 수 있는 아주 재밌는 경험이 있다. 사실 전통시장에 가보면 맛있어 보이는 다양한 음식이 서로 이쪽으로 오라고 손짓한다. 뷔페처럼 하나씩 담아서 먹고 싶은데, 가게 하나만 선택해야 해서 아쉬웠던 적이 많다. 하지만 통인시장에서는 한 뭉치의 엽전을 구매해 엽전 도시락을 맛볼 수 있다.

엽전은 조선시대의 상평통보를 본떠 만들어진 동전으로 이 시장의 정해진 곳에서 사용할 수 있다. 일단 통인시장에서 가장 유명하다는 기름떡볶이부터 담아본다. 마야 김밥, 떡갈비, 닭강정, 식혜까지 먹고 싶었던 것들을 조금씩 야무지게 담아서 도시락 카페에 앉아 먹으면 마치 멀리서 여행을 온 관광객이 된 듯한 기분이 든다.

친구는 수성동 계곡의 해맞이 동산에 앉아 도시락을 먹기도 했다는데 걸어서 10분 남짓 거리에 있는 곳이다 보니 배부르게 먹고 산책하러 가기도 좋아 보였다.

차가 없어도 갈 수 있는 재밌는 공간들은 참 많이 있다. 양조장에서 술을 빚어 볼 수도 있고, 전통주 박물관에서는 전국의 독특한 전통주를 맛볼 수도 있다. 그런가 하면· 뚝섬에서 성수동으로 이어지는 길에서는 매일매일 팝업스토어가 열리고 한정판 재미를 보물처럼 찾아 즐길 수 있다. 내게는 편의점도 다 같은 편의점이 아니다. 어제의 편의점과 오늘의 편의점, 내일의 편의점에 각각 다른 보물이 숨겨져 있다. 나는 매일 블로그를 하며 이런 재밌는 장소를 가보고 소개하고 또 어디 재밌는 게 근처에 있나 찾기도 한다.

사실 나는 오랜 시간 차를 타는 것은 직접 운전을 하지 않더라도 옆자리에 앉아 드라이브하는 것조차도 피곤해했다. 숨이 턱턱 막히는 것을 이겨내야 하는 등산이나 야외에서 모기에게 물려가며 고생하는 캠핑 같은 활동도 사실 내켜 하지 않았다. 그저 항상 최적 온도가 맞춰져 있고, 깨끗이 포장된 도로 위를 잠깐 걷고, 깨끗한 화장실을 언제든 이용할 수 있는 곳을 좋아할 뿐이다. 그래서 나는 여행을 좋아하지 않는다고 생각했다.

하지만, 여행을 좋아하지 않는다는 말은 어쩌면 사실이 아닌지도 모른다. 오늘도, 내일도 매일매일 내 발걸음이 닿는 곳을 여행하듯 살고 있으니.

박성하

vision4x@gmail.com

2년만 라오스에 봉사하러 간 디자이너
5년째 계속 살며 라오스를 사랑하게 된 여행 작가

"자세히 보아야 예쁘다. 오래 보아야
사랑스럽다. (라오스) 너도 그렇다."
- 나태주

라오스가 궁금한 사람에게
거주 한국인이 들려주는
찐 라오스 이야기

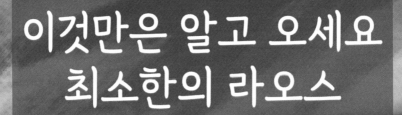

이것만은 알고 오세요
최소한의 라오스

〈비엔티안의 상징 탓루앙의 야경〉

조용하고 여유로운 나라

2015년, 첫 방문을 시작으로 평온한 라오스가 좋아 세 차례 더 방문했다. 2019년 라오스의 학교 건축을 돕기 위해 한국 나이 마흔에 라오스행을 결단했다. 갈 때는 분명 2년만 살고 오려고 했는데, 나는 어느덧 5년째 라오스에 살고 있다.

그사이 라오스를 여행하는 한국 여행객들이 많이 늘었다. 사람이 많아져서일까. 다양한 모습의 관광객들이 등장하기 시작했다. 그중에는 같은 한국 사람인 나를 부끄럽게 하고, 때로는 라오스 사람들에게 미안한 마음마저 들게 하는 사람들도 있어 속상하고 안타까웠다.

며칠 저렴하게 먹고 즐기다 가면 그만인 것처럼 행동하는 그분들에게 라오스가 어떤 곳인지, 어떤 사람들이 사는지 말해주고 싶다. 그래서 라오스 여행이 훨씬 특별한 시간이 되길 바라는 마음을 담아 라오스를 이해할 최소한의 가이드를 작성했다. 이 짧은 글을 통해 아름다운 라오스 사람과 문화를 제대로 즐기고 가는 한국 사람들이 많아지기를 소망한다.

느림과 여유로 치유되는 곳

라오스로 오기 전 나도 대부분의 한국 사람처럼 바쁜 일상을 보냈다. 사회초년생 때는 디자이너로 주 5일 밤을 새우며 주 80~90시간 근무했었다. 지역의 디자인 진흥기관에 디자인전문가로 채용되어 일했지만 어느샌가 경영팀에서 두세 사람의 역할을 해야 했다. 그러던 중 원장이 감사받고 교체되는 시기에 경영파트장으로 그 모든 폭풍을 감당해야 했다. 책임감 때문에 폭풍 같은 시기를 온몸으로 견뎌냈고, 원장이 교체되면서 정상화를 기대했지만 내가 가진 상식으론 이해되지 않은 일들이 계속되었다. 고민 끝에 나는 사직하고 몇 년 동안 마음에 품었던 봉사를 하려고 라오스로 떠났다.

엄청난 업무량 때문에 탈진 직전까지 갔고 문제의 원장 편에서 나를 위협하는 사람 때문에 정신과 치료까지 받았던 내 삶과는 다르게 라오스 사람들의 삶은 여유롭고 평온했다. 이곳에 오자마자 교회 후원으로 진행되는 유치원·초등학교 건물, 사택과 게스트하우스 건축을 도왔는데 40도를 웃도는 무더위 가운데 몸은 지쳤지만, 오히려 마음은 평화로웠다.

'이렇게 살아도 되는데, 왜 그간 그렇게 바쁘고 고된 삶을 힘들게 이겨냈던가?' 싶은 생각이 들 만큼 평온했다. 그렇게 라오스를 사랑하며 지내던 중에 인생의 가장 소중한 인연을 라오스에서 만났다. 라오스 수도 비엔티안에서 국제개발 일을 하는 또래의 한국 친구를 만나서 99일 만에 결혼했고, 우리는 라오스에서 같이 행복하게 살고 있다.

〈10월 전국 보트레이싱을 위해 연습하는 라오스 사람들과 메콩강/
건너편은 태국 농카이〉

<남부 시판돈 여행에서 만난 뚝뚝이 기사님>

어디에서나 환하게 웃어주는 사람들

라오스의 매력은 무엇인가요? 라는 질문을 받으면 대답할 멋진 말이 없다. 느리고, 소박하게 사는 이곳은 없는 게 참 많은 나라고 관광지로써 엄청난 매력이 있는 곳은 아니다. 그래서 아내는 '특별한 매력이 없는 것이 라오스의 매력이다'라고 말하기도 한다.

그런데 라오스에 살수록 점점 더 분명해지는 매력은 다름아닌 라오스 사람이다. 참 순하고, 조용하고 차분한 사람들의 매력은 잠깐 방문한 사람들의 마음에도 남는다. 나처럼 장기간 거주하는 사람들에게도 일상 속에 마주하는 사람들의 순함과 차분함이 변함없는 평온함을 준다. 눈이 마주치면 순수하게 웃음을 짓는 라오스 사람을 어디에서나 쉽게 만날 수 있고 그럴 때마다 기분이 참 좋아진다. 외국 사람인 우리가 라오스의 방식으로 합장하고 "사바이디(안녕하세요)"라고 하면 누구에게나 환영받을 수 있다. 합장의 자세가 따로 있지만, 어설프게 손을 모으기만 해도 다들 좋아해 준다. 고맙다는 뜻의 '컵짜이'라는 말과 함께 이곳에서 당신을 계속 미소 짓게 할 좋은 말이니 라오스 여행 중에 계속 말하길 바란다.

라오스 사람처럼 조용하고 여유롭게 말해보기

물론 라오스 새해인 '삐마이'나 탓루앙 축제 때처럼 떠들썩할 때도 있고, 시끄럽게 말하는 사람도 더러 있지만, 일반적으로 라오스 사람들은 조용한 목소리로 천천히 말한다. 웬만한 건 다 참아내는 이들이 큰 소리로 싸운다는 것은 앞으로 상종하지 않을 정도로 끝에 달한 것이라고 한다. 그래서 한국 사람들의 격렬한 대화를 보고 라오스 사람들은 쉽게 오해한다.

내가 그것을 처음 느낀 건 학교 사택 1, 2층 연결계단을 만드느라 나를 포함한 한국 사람 세 명이 열심히 토론할 때였다. 우리는 (우리 기준에) 어설픈 라오스 설계를 변경해 새로 계단 위치와 높이, 넓이, 계단 개수를 정해야 했는데, 각자 의견이 좀 달라 현장을 오가며 다소 큰 몸짓으로 큰 소리로 토론했다. 우린 전혀 흥분하지 않았지만, 꽤 격렬했나 보다. 한 시간 가까이 토론하고 보니 공사 현장 책임자인 라오스 친구가 시무룩하게 한쪽에 찌그러져 있었다. 왜 그런지 궁금해서 한국인 교장 선생님께 여쭤보니, 그분이 말하기를 "저 친구가 우리가 심하게 싸웠다고 생각했을 거야" 하셨다. 그 뒤로도 한 번씩 우리와 함께 일하는 라오스 직원들이 한국인들의 큰 목소리 대화를 싸움으로 오해하거나, 다른 라오스 사람들 눈치를 본다는 것을 느꼈다.

그리고 어느샌가 나도 한국 사람들이 단체로 방문해서 큰 소리로 이야기할 때 조금 부담스럽다. 물론 웃고 즐기는 대화는 괜찮다. 한국말을 몰라도 대화가 웃고 즐기는 것인가 아닌가는 구분한다. 환하게 웃으며 조용하고 여유롭게 말하는 것이 라오스의 문화이기 때문에 라오스에 방문한다면 이들처럼 말해보는 것도 한국의 바쁘고 고단한 삶을 털어내는 경험이 되리라 생각한다. 그리고 이 순수한 사람들을 당황케 하지 않고 기분 좋은 기억만 남기는 방법이다.

※ 초간단 라오스 소개

라오스는 중국, 미얀마, 태국, 캄보디아, 베트남과 국경을 맞대고 있는 내륙국가다. 1893년부터 프랑스의 지배를 받다가 1954년 독립한 후 1975년 사회주의 국가가 되었다. 인구의 다수가 불교를 숭상하고 토착 신앙을 믿는다. 50여 개에 달하는 소수민족이 살고 있으며, 덥고 습기가 많은 열대기후다. 한반도 1.1배 면적(국토의 80%가 산악, 구릉, 고원 산지)에 738만 명(2021년 기준)의 적은 인구가 사는 나라다.

내가 경험한 라오스다움

라오스의 삶은 전체적으로 만족스럽지만, 라오스를 사랑하는 우리에게도 이해하기 힘든 상황들이 한 번씩 온다. 보통은 웃어넘기지만, 내 기준에서 너무나 당연한 상식이 지켜지지 않을 때, 불편하고 화가 나곤 했다.

라오스를 방문하는 한국 사람들, 특히 어르신들은 라오스가 한국의 1960년대 ~ 80년대 같다는 말씀을 많이 하신다. 그 말을 들을 때면 '맞아, 라오스에는 1960년대의 옛날 모습과 2024년 현재가 한꺼번에 공존하는 재밌는 곳이지'하고 웃어넘겼다. 그러다 하루는, 내가 기억할 수 있는 1980년대의 한국을 생각하게 되었고, 그 당시 한국도 지금 라오스처럼 국제 기준과는 다른 게 많았다는 생각이 들었다. 아직 라오스에는 골목 안에서 함께 아이들을 키우는 이웃의 정이나 모자라거나 아픈 가족을 여러 가족이 함께 보듬어 살아가는 아름다움이 남아 있다. 라오스에는 부족한 것도 많지만, 지금 우리가 잃어버린 아름다움도 많이 간직하고 있다는 생각에 이르렀다. 생각이 여기에 이르니, 내 기준에서 라오스에 대해 판단하며 불편했던 마음이 부끄러워졌다. 라오스에 아직 남아 있는 아름다운 것들을 잊지 않기를 바라며 내가 살면서 경험한, '오래 보아야 사랑스러운' 라오스다움을 기록해 본다.

〈시엥쿠앙 항아리 평원(세계문화유산)에서 사진 찍는 승려들〉

다 괜찮습니다. 버뺀냥

라오스에서 가장 많이 듣는 말은 '버뺀냥' 일 것이다. (인사·감사 말 제외) '무슨 일'을 의미하는 '뺀냥' 앞에 '아니다'를 의미하는 '버'가 붙어 '별일 없어', '괜찮아'라는 말이다. '버뺀냥'은 라오스 사람들의 입에 붙은 말이다. 라오스 사람들끼리 작은 접촉 사고가 나면 서로 "버뺀냥?", "버뺀냥!"하고 간다는 말이 있을 정도로 무슨 일에든지 괜찮다고 말하는 삶을 살아간다. 아마도 덥고 습한 날씨부터 시작해서 참고 견뎌야 하는 일이 많은 라오스에선 이 말이 스스로와 다른 사람에게 줄 수 있는 마법 같은 치료제라고 여겨진다. 그리고 오랜 시간 이 말을 해오면서 라오스 사람들을 모든 일에 참고 견디고 만족할 수 있는 사람들로 만들어 냈겠다고 생각된다. 이곳을 방문해 라오스 사람들을 만나게 된다면 내가 말하는 '버빽냥 DNA'의 가치를 당신도 느끼게 될 것이다. 그렇게 당신도 진짜 라오스 경험하고 라오스에 마음 한 부분을 남기고 갈 것이다.

내일 일은 내일, 즐겁고 행복한 오늘

라오스 사람은 일은 원래 안되는 것이고, 내일 하면 된다는 지혜를 이미 가지고 있다. 더운 날씨와 사회주의 시스템이 시너지를 일으켜 더욱 강력한 생활 습관이 된 것으로 보인다. 일로 자신을 증명하려는 우리 한국 사람과 달리 라오스 사람에게 일은 그저 일이다. 일찍 퇴근하고 사랑하는 가족, 친구들과 식사하고 맥주 한잔하면서 하루의 피로를 잊고 행복과 즐거움을 바로바로 누린다. 이 귀한 것을 내려놓고 돈을 벌기 위해 늦게까지 일하고 다른 지역, 다른 나라까지 가는 사람들은 극소수다. 라오스에 지내다가 한 번씩 한국에 들어오면 내가 과거에 어떻게 그렇게 살았을까, 그리고 아직도 다들 저렇게 바쁘게 살고 있을까 하는 생각이 든다. 엄청 많이 가지고, 엄청 많은 것을 누리면서도 행복하다는 말보다 그냥 살아가고 있다는 한국 사람들을 만나면 라오스의 삶을 자꾸 이야기하게 된다. 미래가 아니라 지금을 행복하게 사는 라오스의 지혜와 행복을 나눠주고 싶다.

게임 같은 자동차 운전, 교통신호보다 눈치가 중요하다

이곳에선 교통신호나 차선보다 상대방이 나의 방향을 이해할 수 있도록 그저 천천히 내가 가고자 하는 방향으로 운전해 가면 된다. 신호등이 늘어나고 있지만, 여전히 없는 곳도 많고 이제껏 교통신호, 차선, 중앙선 없는 삶을 살아와서 다들 자유롭게 운전한다. 자유로운 운전 문화에서 시스템 안에서 운전하던 한국 사람의 운전 습관은 오히려 위험을 초래한다. 상대가 신호를 지킬 것이라는 생각으로 대응했지만, 라오스 사람은 그렇게 운전하지 않기 때문에 오히려 사고가 생길 수 있다. 차량 흐름을 보지 않고 오직 자기 가는 길만 생각하고 운전하는 사람들이 대부분이기 때문에 만약 비엔티안에서 운전한다면 사방에서 내 차와 부딪히기 위해서 다가올 수 있다고 생각하고 운전해야 한다. 작은 틈만 있어도 옆에서 오토바이가 언제든지 끼어들 수 있고, 앞에서 수시로 역주행하는 차가 돌진해 온다. 이렇게 쓰다 보니 굉장히 위험해 보이지만 3~40km 정도의 속도(큰길이나 전용도로 제외)이니 그리 위험하지 않다. 하지만 라오스 운전 5년 차에도 트럭의 역주행은 아직도 무섭고 자신만의 레이스를 하는 운전자를 만나면 화가 날 때가 있다. 이럴 때 "아직 내가 라오스에서 덜 살았네"라고 말하기도 하고, "우리가 잠깐 라오스를 떠나 휴가 다녀올 때가 됐네"라고 농담하며 지나간다. 운전에 관해서는 비엔티안에 한정해서 이해해 주시길 바란다. 다른 도시들은 신호등과 차량이 많지 않기 때문이다.

 * 불과 5, 6년 전에 씨엥쿠앙(라오스 주요 도시 중 하나)에 사는 사람이 처음 신호등이 생겼을 때 루앙프라방에 사는 지인에게 아직 루앙프라방에 신호등이 없어요? 라고 농담을 했다고 한다. 루앙프라방은 여전히 신호등을 찾아보기 힘들다.

〈비엔티안 새로운 땅을 지나는 큰길〉

게을러 보이지만 그것이 지혜

라오스는 11월부터 비가 그치고 건기가 시작되는데 12월에서 2월까지는 아침, 저녁으론 시원하고 낮에는 조금 더운 초가을 날씨 정도로 여행하기 좋은 계절이다. 이 시기 중에는 최저 온도가 10도 이하로 떨어지는 꽤 쌀쌀한 '라오스 겨울'이 2주 정도 있다. 시원한 시기를 지나면 3월부터 더워지기 시작해 5월 중순까지 40도를 넘나드는 무더운 날씨가 이어진다. 이렇게 계속 달궈지다가 5월 중순에 비가 오면서 온도가 내려가 35도 근처를 오가는 우기가 11월 건기 시작 전까지 이어진다. 결국, 약간 더운 계절과 엄청 더운 계절을 살아가는 라오스 사람들은 한국 사람이 보기에는 굉장히 게을러 보인다. 정말 열심히 살아가는 한국 사람들 기준으로 맞는 말이지만 이곳에 살면서 라오스 사람들의 게으름은 이곳에 맞는 것이라는 생각을 한다. 더운 날씨와 엄청 더운 날씨 속에, 일에 욕심부리고 무리하다가 아프면 큰 문제가 된다. 의료시설이 부족하고 그 수준이 열악한 이곳에서 병원에 입원해 치료받거나 수술하기가 쉽지 않다. 그리고 그 결과도 장담할 수 없다. 무리하지 않고 아프지 않은 게 가장 최선이다. 게을러 보이지만 그것이 지혜라는 생각을 특히 엄청 더울 때 많이 하게 된다.

국제 사회의 야박함

라오스다움을 말하다 보니 얼마 전 한국으로 귀국할 때 국제 기준이 가진 무례함을 깨닫게 된 일이 생각난다. 라오스는 직항이 하루에 두, 세 편(성수기엔 일곱 편 이상) 있다. 국적기인 라오 항공을 제외하고 다들 저가항공사인데 저렴하게 한국을 오갈 수 있어 고맙게 생각하고 이용한다. 한 번은 저가 항공으로 한국을 돌아오는 비행기에서 뒤에 앉아 있던 라오스 사람이 승무원에게 물 한 잔 줄 수 있냐고 물었고, 승무원은 2천 원, 2달러를 내라고 대답했다. 우리가 가진 물을 전해주려니 이미 먹던 물이고 대신 사 줄까도 생각했지만, 그것도 어쩌면 무례해 보일 수 있어서 머뭇거리다가 도와주지 못했다. 비행기에 내린 이후에 제대로 도와주지 못한 미안함과 우리의 야박함이 계속 생각났다. 그 라오스 사람이 어떤 사람인지 알지 못하지만, 대부분의 라오스 사람처럼 항공기를 타는 경험이 적었을 텐데 저가 항공이라는 시스템이 얼마나 당혹스럽고 서운하게 느껴질까. 30만 원대의 편도 비행편은 라오스 사람에겐 저가가 아니라 한 달 급여가 넘는(평균 월급 210달러) 고가 비행기인데 5시간이 넘는 비행에서 물 한 잔 주지 않는 것이 얼마나 야박했을까.

　20년 전 배낭여행 중 독일에서 처음 저가 항공을 경험했을 때 저가 항공은 이런 방식으로 움직이는구나! 일반항공과는 이런 부분이 다르구나 하고 말았던 나의 경험과 라오스 사람의 경험은 다를 것이다(비행시간이 4시간이 넘는다면 물은 서비스로 주었으면 좋겠다). 그러다 라오스에 사는 우리(외국인)가 생각하는 방식을 돌아보게 되었고 우리가 평소에 화가 났던 부분은 라오스 사람들은 경험하지 않은 기준을 그들에게 요구하면서 생길 때가 많았겠다는 생각이 들었다. 우리가 이미 경험하고 지키고 있어서 국제 기준처럼 당연해진 것들이 그들에게 당연하지 않을 수 있음에도 우리가 맘대로 판단했다는 생각이 들면서, 그간 혼잣말로 구시렁거리던 나에 대해서 부끄러움을 느꼈다. 그리고 가끔 우리는 당연하게 생각하는 기준을 지키지 않는다는 이유로 이들에게 굉장히 야박하고, 무례하게 행동할 수 있다는 생각이 들어 좀 더 관대하게 도울 수 있는 친구가 되어주면 좋겠다고 생각했다.

라오스는 지금 변화 중

모두가 힘들게 견뎌냈던 코로나 시대를 지나면서 라오스도 여러모로 변화하고 있다. 중국의 투자로 지난 10년 동안 몇 배를 뛰며 들썩이던 비엔티안의 부동산 오름세도 멈췄고, 장밋빛 전망도 사라지면서 가난해도 여유롭던 라오스 사람들도 힘든 시간을 보내고 있다. 코로나 전에는 1달러에 8,000낍 가치였던 것이 24년 4월 기준 21,200낍 정도로 엄청나게 폭락해 라오스 사람들의 생활은 급격히 어려워졌다. 라오스 정부에서도 환율을 잡기 위해 사설 환전소 문을 일제히 닫는 등 강력한 정책을 여러 번 시행했지만, 수출할 것이 없는 라오스의 돈의 가치는 속절없이 하락하였다(급격한 환율 변화로 3년 사이에 식당 메뉴판의 가격이 몇 번이나 바뀌었는지 모른다). 코로나 전에 도시로 몰려들던 시골 사람들은 3분의 1의 수준으로 떨어진 월급을 버티지 못하고 불황의 시기에 다시 고향으로 돌아갔다고 한다. 시골은 부족하더라도 돈 없이도 살아갈 수 있지만, 도시에선 돈 없이 살 순 없으니까. 이것뿐만 아니라 많은 것을 앗아간 코로나가 지나간 후 라오스는 변화하고 있다.

코로나 이후 유통시장의 변화

코로나 전에 비엔티안에 사는 부자나 외국인들은 보통 자기 차로 40분(출입국 신고하는 시간 제외) 운전해 태국 농카이에 있는 대형할인점에서 쇼핑했다. 출입국 절차도 복잡하지 않고 장보고 프랜차이즈 식당에서 식사하고, 당시에 라오스엔 없던 스타벅스에서 커피도 한잔 마시고 돌아왔다. 바람도 쐴 겸 주말에 한 번 다녀오면 되니 굳이 물건도 비싸고 물건 찾기도 힘든 비엔티안이 아니라 태국을 건너다녔다. 하지만 국경이 닫히면서 비엔티안에서 쇼핑해야 했고 코로나 시기를 기점으로 비엔티안의 유통이 발전했다. D 마트, J 마트, 림핑, 콕콕 마트 등이 지점을 늘려가고 있고, 태국에 건너가서 쇼핑했던 Bic C도 24년 내 오픈하려고 건축 중이다. 코로나가 끝나고 국경이 열렸지만, 대량 구매를 하거나 다른 일이 있어서 태국을 건너가는 게 아니라면 굳이 장을 보려고 태국으로 건너가는 시대는 끝났다. 엄청난 재앙이었던 코로나가 오히려 라오스 유통업에는 새로운 기회가 되었으니 참 놀랍다.

시간이 늦게 흐르는 라오스를 달리는 고속철도

2년 전 코로나 시기에 중국 쿤밍에서 비엔티안까지 이어지는 고속열차가 개통되었다. 동남아시아 국가들과 무역을 활발하게 하고, 나중엔 태국으로까지 이어져 중국의 중동·유럽 간의 화물 선박의 소요 시간을 줄이려는 야심과 라오스의 교통인프라 필요가 맞물려 라오스에 큰 변화를 만들고 있다. 기차는 사건 중심에서 시간 중심으로 삶을 바꾼다. 라오스가 중국을 통해 변화를 맞이하게 되었는데 이것이 라오스의 시간과 물질에 대한 관점을 바꿀 것이며 결국은 중국의 지속적인 지원과 이주를 통해 라오스를 삼키는 소용돌이가 되지 않을까 걱정도 된다.

비엔티안에 새로 생긴 땅

코로나 이전에 비엔티안 부동산을 들썩이게 한 탓루앙 레이크 경제특구는 중국이 수도 비엔티안 한 부분에 방치되어 있던 늪지를 메워 여의도의 1.25배인 365ha의 새로 만들어진 땅이다. 100년 임대로 경제특구를 운영하면서 엄청난 투자를 하고 있다. 처음 이곳에 넓고 깨끗한 아스팔트 포장 도로는 가로등, 깨끗한 차선과 표지판 등이 있어 라오스에선 보기 힘든 이국적인 장소다. 많은 젊은이가 몰려와 SNS 사진을 찍었고, 지금도 중심부에 있는 호수 근처에는 아침, 저녁으로 사람들이 몰려든다. 코로나로 인해 주춤했지만 10년, 20년 후엔 비엔티안의 변화를 주도할 것이다.

이젠 영어가 필수

베트남과 함께 미국과 전쟁한 라오스는 미국은 적이었고, 영어는 가르치지 않은 언어였다. 그러다 베트남을 모델로 라오스가 개방하면서 이젠 영어를 배우고 사용하는 친구들이 늘어나고 있다. 기초 영어 단어도 몰라 의사소통이 힘들었던 이전 세대와 달리 20대의 대학생들은 영어를 열심히 배우고 있다. 나는 코로나로 인해 개교 시점이 늦어지면서 22년도에 10개월 정도 코이카 청년중기봉사단 프로젝트를 수행하는 국제개발 NGO의 라오스 코디네이터로 일했다. 이때 같이 활동한 20대 라오스 단원들 중에는 영어로 의사소통 가능한 친구들이 꽤 많았다. 라오스 사람들이 시대에 따라 점점 변해가고 있다. 이러한 변화가 부디 라오스 모두에게 긍정적이길 바란다.

교육은 이미 변하는 중

영세한 사회주의국가 라오스에서 교육은 오랫동안 유기된 영역이었다. 비가 많이 오는 우기에는 비포장 길이 엉망이 되면 선생님이 학교 오지 않으니, 학생들도 학교에 가지 않는다는 말이 있을 정도다. 공무원이기에 그래도 나름 선생님이 나쁘지 않은 직업으로 보이지만 실제로는 한 달 100달러도 안 되는 박봉에 그마저도 채용될 때까지 1, 2년 무료 봉사하는 경우가 많다. 이렇게 라오스 교육은 계속 멈춰있다가 2000년대 들어 대외 개방하면서 세계 기준에 맞는 교육에 대한 필요가 늘어나고 있다. 현재는 한국 사람을 비롯한 많은 외국인이 사립, 국제학교를 운영하면서 새로운 시대를 만들어 가고 있다. 지난 4년 동안 유치원, 초등학교를 함께 세우고 만든 자원봉사자로서 교육 환경의 변화가 과거 고립된 사회주의국가에 맞는 교육을 받고 살아온 이전의 세대와 달리 라오스의 미래를 바꿀 리더를 양성할 것이라고 믿고 있다. 이곳에서 자란 아이들이 라오스의 지도자가 될 20년, 30년 후가 기대되고 그 변화의 결과를 보며 나이 든 내가 나의 40대를 뿌듯하게 회상할 것이라 믿는다.

라오스 문화와 사람을 만나는 여행

나도 여느 한국 사람처럼 여행할 때 블로그를 검색해 여행 일정을 계획하고 식당을 찾아갔다. 그렇게 찾은 여행지 식당엔 온통 한국 사람일 때도 있었다. 나름 즐겁게 여행했지만 이제 우리의 여행도 달라지면 좋겠다. 여행지의 명소나 맛집을 즐기기만 하는 여행에서 그곳의 문화와 사람을 만나는 여행으로 조금 더 나아가면 좋겠다. 특별한 게 없는 여행지 라오스에서 살면서 사람과 문화를 누리는 법을 조금씩 배워가고 있고, 그렇게 여행하는 것이 더 마음에 남는다는 것을 알게 되었다. 라오스를 찾는 당신도 이렇게나 순수하고 여유로우며 평온한 라오스 사람과 문화를 경험하길 바란다. 그러면 사람도 자연도 특별하게 당신에게 다가올 것이다.

서미화

min.ai.search@gmail.com

건강과 웰빙 전문가
건강기능식품 석사 출신 강사

건강을 유지하는 것은 일회성 행위가 아니라,
매일의 작은 선택들이 모여 만들어 내는 평생의 예술작품이다.
-건강한 여행 시작 저자

건강한 여행의 시작 3가지

건강한 여행의 시작

우리의 삶은 멋진 여행과도 같아서, 그 여행에서 가장 중요한 것은 바로 '건강'이다.

바쁜 현대 사회에서 일상의 소용돌이 속에서 우리의 건강은 뒷전으로 밀려나기 쉽다. '건강한 여행의 시작'은 건강을 위한 길잡이가 되고자 한다. 건강을 유지하고 증진하는 세 가지 핵심 요소 유산균, 종합비타민, 콜라젠에 대해 알아보고, 이들이 어떻게 우리 몸을 지탱하고, 노화와 질병을 막으며, 전반적인 삶의 질을 향상하는지 설명한다. 우리는 각 요소가 가지고 있는 과학적 근거와 일상에서의 적용 방법을 통해, 스스로 건강을 관리 할 수 있는 지식과 도구를 제공하고 한다.

현대 사회는 빠른 속도와 스트레스, 환경 오염, 가공식품의 편리함이라는 요소로 인해 우리의 건강을 지속해서 도전하고 있다. 이러한 도전은 종종 우리의 신체적 및 정신적 웰빙에 부정적인 영향을 미친다. 바쁜 일상에서 건강한 식사를 준비하는 시간이 부족하거나, 운동을 할 여유가 없는 경우가 많다. 이런 상황에서 건강 중요성은 더욱 강조된다.

'건강한 여행의 시작'은 이러한 현대의 도전을 인식하고, 우리 몸이 필요로 하는 중요한 영양소를 제공하는 방법에 대해 깊이 있게 다룬다. 유산균은 장내 미생물 균형을 유지하고 면역 체계를 강화하는 데 필수적인 역할을 한다. 종합비타민은 일상적인 식단에서 부족하기 쉬운 필수 비타민과 미네랄을 보충하여 건강을 지원한다. 콜라겐은 피부, 뼈, 관절 건강을 유지하는 데 중요한 구성 요소로서, 노화 과정을 늦추고 삶 향상하는 데 도움을 준다.

건강한 식습관과 생활 방식을 계획하고, 장기적인 웰빙을 위한 실질적인 도움을 주고자 한다. 우리 모두에게 건강은 단순한 존재하는 것이 아니라, 적극적으로 관리하고 향상하게 시켜야 하는 자산이다.

유산균, 우리 몸의 작은 수호자

유산균은 우리 건강에 꼭 필요한 유익한 박테리아다. 주로 장내 환경을 개선하고, 소화 기능을 돕는 역할을 하며, 면역 체계를 강화하는 데 중요한 역할을 한다. 유산균은 장내 유익한 박테리아의 성장을 돕고, 유해균의 활동을 억제하여 장의 건강을 유지한다. 이는 소화 기능을 향상하고, 소화 불량, 변비, 설사와 같은 장 질환을 예방하는 데 도움이 된다.

유산균은 면역 체계와 직접적으로 소통하여 면역 반응을 조절한다. 이를 통해 감염으로부터 몸을 보호하고, 알레르기 반응을 줄일 수 있다. 비타민 B군의 생성을 돕고, 칼슘과 철분 등 중요 미네랄의 흡수를 촉진한다. 이는 전반적인 영양 상태를 개선하는 데 이바지한다.

장 건강을 통한 질병 예방 및 전반적인 면역력 증진으로 감염의 위험을 감소시킬 수 있다.

소화 효소의 활성을 촉진하여 소화 과정을 돕고, 가스와 불편함을 줄여주기도 한다.

유산균은 우리 건강에 큰 영향을 미치며, 특히 장 건강과 면역 체계 강화에 큰 역할을 한다. 균형 잡힌 식단에 유산균이 풍부한 발효 식품을 포함하거나, 특정 건강 요구에 맞는 유산균 보충제를 먹음으로써 건강을 향상할 수 있다. 유산균의 다양한 건강 이점을 최대화하기 위해서는 개인의 건강 상태에 맞게 적절하게 섭취하는 것이 중요하며, 이는 전문적인 의료상담을 통해 이루어져야 한다.

유산균은 영양소의 흡수, 면역 체계의 강화, 심지어는 염증 감소와 같은 다양한 방면에서 우리 몸을 지원한다. 이렇게 유산균을 일상생활에 같이 함으로써, 우리는 더 건강하고 활기찬 삶을 즐길 수 있다. 따라서 유산균은 우리 건강 여정의 중요한 수호자로, 일상에서의 선택을 통해 지속적인 건강 혜택을 누릴 수 있다.

종합비타민, 색다른 영양의 보물 상자

종합비타민은 마치 작은 보물 상자와 같다. 이 작은 캡슐 하나에는 우리 몸이 필요로 하는 다양한 비타민과 미네랄이 모두 들어 있어, 이는 바쁜 현대 생활에서 개인이 일일이 필요한 모든 영양소를 보충할 수 있는 수단을 제공한다. 특히, 불균형한 식습관을 가진 사람들, 특정 영양소에 대한 필요가 높은 사람들, 그리고 노년층이나 임산부와 같이 특별한 영양 요구가 있는 경우 종합비타민이 권장된다.

종합비타민은 비타민 D, 비타민 B12, 철분, 칼슘과 같은 일반적으로 결핍되기 쉬운 영양소를 제공한다. 이는 빈혈, 골다공증, 면역 저하와 같은 다양한 건강 문제를 예방할 수 있다.

비타민 C, 비타민 E, 아연 등은 면역 체계를 강화하고 감염에 대한 저항력을 높이는 데 이바지한다. 비타민 B군은 체내 에너지 생성 과정에 필수적이며, 피로감을 줄이고 활력을 증진하게 시키는 데 도움을 준다.

종합비타민은 다양한 형태와 조합으로 제공되어, 사용자의 나이, 성별, 건강 상태에 맞게 제품을 선택하는 것이 중요하다. 비타민과 미네랄은 과다 섭취 시 부작용을 일으킬 수 있어, 특히 지용성 비타민인 A, D, E, K는 체내에 축적될 수 있으므로 권장량을 준수해야 한다.

특정 건강 상태를 가진 개인이나, 약물을 복용 중인 경우, 종합비타민을 섭취하기 전에 의사나 영양사와 상담하는 것이 바람직하다.

종합비타민은 현대인의 건강관리에 있어 유용한 도구이다. 이는 영양소의 균형을 잡고, 건강한 삶을 유지하는 데 필수적인 역할을 할 수 있다. 그러나 종합비타민을 선택하고 사용할 때는 개인의 특정 영양 요구 사항과 현재 건강 상태를 고려 해야 한다. 또한, 종합비타민은 건강한 식습관과 생활 방식의 보완적인 수단으로 사용되어야 하며, 단독으로 모든 영양 문제를 할 수 있는 만병통치약이 아님을 기억해야 한다.

종합비타민의 현명한 사용은 일상적인 건강관리와 예방 의학의 중요한 부분이며, 영양소를 균형 있게 섭취하고, 권장량을 준수하며, 필요시 전문가의 지도를 받는 것은 장기적인 건강 유지에 큰 도움이 된다. 종합비타민을 통해 건강 여정에 필요한 영양 지원을 받으며, 더 건강하고 활기찬 삶을 즐기시길 바란다.

콜라겐, 탄력 있는 삶을 위한 마법의 성분

콜라겐은 우리 몸에서 풍부한 단백질 중 하나로, 피부, 뼈, 관절, 연골에 매우 중요한 역할을 한다. 콜라겐의 주요 기능 중 하나는 피부의 탄력과 수분을 유지하는 것이며, 이는 우리가 더 젊어 보이게 한다. 하지만 나이가 들면서 우리 몸의 콜라겐 생성이 자연스럽게 감소하게 되어 외부에서 콜라겐을 섭취하면 피부 노화를 늦추고, 관절과 뼈의 건강을 유지하는 데 도움을 줄 수 있다.

콜라겐은 피부의 수분 유지와 탄력을 개선하며, 주름을 감소시키고 피부 노화를 늦출 수 있다. 이는 콜라겐이 피부 구조의 중요 구성 요소이기 때문이다.

콜라겐은 뼈 구조의 중요한 부분으로, 콜라겐 보충은 뼈의 밀도를 유지하고 골다공증 위험을 감소시킬 수 있다. 관절 연골의 주요 구성 요소이기에 충분한 콜라겐 섭취는 관절의 윤활을 개선하고 관절염 증상을 완화하는 데 도움을 준다.

콜라겐 보충제의 사용은 일반적으로 안전하다고 여겨지지만, 제품 선택 시 품질과 순도를 확인해야 한다. 콜라겐의 효과를 극대화하기 위해 비타민 C와 함께 섭취하는 것이 좋다. 비타민 C는 콜라겐의 합성을 도와 체내에서 콜라겐이 효과적으로 활용되도록 해준다.

콜라겐은 그 효과와 필요성을 고려할 때, 우리의 건강관리 루틴에서 중요한 부분을 차지해야 한다. 이 단백질은 노화 과정을 관리하고, 건강한 피부와 관절을 유지하는 데 중요한 역할을 하며, 전반적인 생체 기능의 지원을 제공한다. 따라서 콜라겐의 적절한 섭취는 단순히 미용상의 측면을 넘어서, 건강한 노화와 신체의 장기적인 기능 유지에 이바지할 수 있다.

적극적으로 콜라겐을 섭취하는 것은 다양한 방법으로 이루어질 수 있다. 식단을 통해 자연적으로 섭취하거나, 특정 건강 목표에 맞춘 보충제를 사용할 수 있다. 어느 쪽이든, 콜라겐을 일상에 포함하는 것은 장기적인 건강을 위해 투자하는 것으로 볼 수 있다. 그러나 모든 보충제와 마찬가지로 콜라겐 역시 개인의 건강 상태, 알레르기 반응, 그리고 의료 조건을 고려하여 사용해야 한다. 마지막으로 콜라겐 섭취와 관련된 결정을 내릴 때는 항상 전문적인 의료 조언을 구하는 것이 중요하다. 이를 통해 개인의 건강 상태에 가장 적합한 콜라겐 제품과 섭취량을 결정할 수 있으며, 콜라겐의 이점을 최대화하고 잠재적인 부작용을 피할 수 있다.

'건강한 여행의 시작'은 여기서 끝이 아니라 새로운 시작이다. 지속적인 과정이며, 우리 각자가 일상에서의 작은 선택을 통해 큰 변화를 만들어 낼 수 있다. 유산균, 종합비타민, 콜라겐이라는 세 가지 중요한 건강 요소를 통해 얻을 수 있는 이점을 이해하게 되었을 것이다. 더 건강한 식단을 구성하고, 필요한 영양소를 적절히 보충하며, 전반적인 건강을 개선하는 방법은 알 수 있었을 거로 생각한다. 건강을 유지하는 것은 일회성 행위가 아니라, 매일의 작은 선택들이 모여 만들어 내는 평생의 예술작품이다.

마지막으로, 건강한 여행은 결코 혼자가 아닌, 공동체와 함께하는 것이다. 가족, 친구, 동료들과 건강 정보를 공유하고, 함께 건강을 도모하며 서로를 지지해 주는 것이다. 건강한 커뮤니티를 만들어 나가는 것도 건강한 개인을 만드는 데 큰 도움이 된다. 건강한 몸과 마음으로 삶의 모든 순간을 최대한 활용하시길 바라며, 삶의 질을 향상하게 시키고, 매일 건강하게, 그리고 행복하게 보내시길 바랍니다.

오지원

gaet5004@gmail.com

홍보전문가에서 어린 시절 품었던 작가로
'귀'업하는 중입니다.

뭐든 꾸준히 하려면 그것이 '특별활동'이 아니라
습관이 되어야 한다.
-무라카미 하루키

나를 걷고 뛰게 한
무라카미 하루키, 하정우 배우님
이영미 작가님에게 감사합니다

나를 발견하는 여행, 걷기

하정우 따라 하기
걷고, 먹고, 웃고

배우 하정우의 〈걷는 사람 하정우〉에서는 "뭐든 꾸준히 하려면 그것이 '특별한 활동'이 아니라 습관이 되어야 한다. 사람들은 보통 하루 만 보를 걷기 운동의 기준으로 삼지만, 나는 3만 보 정도를 걷는다"라고 말한다.

하정우의 책을 읽고 생활 속 걷기를 따라 하고 있다. 하정우는 출근할 때도 맛집을 갈 때도 대부분은 걷는다. 하정우는 3만 보를 걷는다. 나는 1만 5천 보로 목표를 정했다. 1만 5천 보는 약 10km의 거리다. 처음에는 3천 보 걷기도 힘들었다. 좌절하지 말고 무조건 걷자. 매일 걸었더니 점점 걸음수가 늘어 3개월 만에 1만 5천보를 걸을 수 있게 되었다.

가끔 경동 시장까지 걸어서 간다. 편도 7천 보. 시장 구경을 하고 물건도 사고, 집에 오면 그날은 2만 보가 훨씬 넘는다. 그래서 시장은 생활 속 걷기의 최적 코스다. 게다가 덤으로 얻는 것이 많다. 시야에 가득 들어온 제철 재료에서 계절을 느끼고, 상인들의 넘치는 활력과 에너지까지 얻을 수 있다. 맛집은 또 얼마나 많은지. 요즘은 경동시장이 더 인기가 많아졌다. 가수 성시경, 개그맨 강민경, 방송인 이지혜 등의 유명 유튜브 채널에 소개되면서 MZ들의 명소로 새로운 전성기를 맞고 있다. 남원 통닭, 황해도순대, 짱구 만두, 영심이네 분식까지. 곳곳에 펼쳐져 있다.

얼마 전 출판 수업 받으러 가는 길. 당연히 걸어가는 길이었다. 밀려오는 허기를 참을 수가 없던 나는 경동시장 근처 백반집을 찾았다. 원래 가려고 했던 백반집이 휴무라 식당들이 많은 청년몰 지하로 향했다. 성시경 채널에 소개된 안동집 옆 벌교식당을 선택했다.

안동집도 매우 맛있는 식당인데 이날은 밥. 무조건 밥.

'벌교식당'은 40년 넘는 풀뿌리 식당이다. 하얀 머리의 사장님과 식당의 포스가 '내공 맛집' 아우라로 반짝이고 있었다.

"사장님, 된장찌개 주세요"라고 말하자마자 사장님은 가스 불에 뚝배기를 툭 올리고 쌀뜨물을 넣고 끓이기 시작한다. 즉석에서 끓여주는 된장찌개라니.

"엄마, 배고파. 된장찌개 먹고 싶어"라고 말하면 바로 끓여주던 우리 엄마가 생각났다.

엄마 생각도 잠시, 바로 내 앞에 펼쳐진 나물 반찬들. 사장님께서 반찬들을 하나하나 내어주신다. 그리고 오늘의 주인공 된장찌개와 고봉밥이 등장한다. 사장님은 "밥에 찌개 건더기 넣어서 비벼 먹고 국물은 따로 먹어야 맛있어요. 나물은 살 안 찌니까 다 먹어요."라며 다정하게 말한다.

"살 안 찐다. 다 먹으라."라며 밥 차려주는 엄마 생각에 다시 한번 울컥. 갱년기인가. 자꾸 울컥한다.

'밥 먹고 엄마에게 전화해야지'.

고개를 푹 숙이고 울컥함을 꾹 삼키고 밥과 찌개와 나물을 먹는다. 사장님 분부대로 밥에 찌개 건더기를 건져 쓱쓱 비비고 나물을 먹었다. 아, 그 나물에 그 밥? 이 아니었다. 각자의 본분을 최대치로 살린 맛. 걷다가 허기를 채우러 들어간 식당에서 추억과 그리움까지 덤으로 먹었더니 매우 행복했다.

일단 다리를 뻗어 한 발만 내디디다 보면 인생 맛집을 만날 행운도 생긴다,

먹기 위해 걷는 것. 걷기의 페르소나. 적어도 하정우와 나에게는.

얼마 전에는 아차산역 근처의 '원조 할아버지 손두부'까지 걸어갔다. 집에서 한 시간 거리로 왕복 두 시간. 걷기 목표를 달성하기 좋은 코스다.

평일 아침이라 한가한 '원조 할아버지 순두부', 오회! 운수 좋은 날이다. 오늘의 선발 투수 하얀 '순두부'가 등장했다.

'내가 진짜 순두부야!'라는 응원가가 들리는 것 같다.

위풍당당 순두부에 이어 이어 공깃밥이 무생채와 등장한다. 이 만찬이 5천 원이다. 중생은 그저 감사하다.

순두부 한 숟갈이 입에 들어가면 '담백한' 맛의 '직구'를 맞는다. 이게 순두부지. 끄덕끄덕.

담백함 그 자체만으로도 멋진 승부를 펼친 순두부의 실력에 감탄한다.

진정성이 주무기인 순두부를 먹으면서 절로 웃음이 나온다.

막걸리까지 등판한다. 담백한 대화에 필요했던 구원투수가 등장하니 완벽한 승부였다.

함께 한 지인이 "언니 정말 먹는 양이 늘었어요"라고 감탄한다.

"걷다 보니 먹는 양도 늘더라"

정말 식사량이 늘었다. 그런데 살은 빠졌다. 걷기가 주는 마법 같은 효과다.

세상의 맛있는 음식들을 내가 좋아하는 사람들과 더 많이 먹기 위해서라도 더 열심히 걸어야겠다. 걷지 않을 이유가 없다. 걸어야 한다.

마녀 체력 이영미 작가에게
평화를 찾는 법을 배우다

마녀 체력 이영미 작가는 〈걷기의 말들〉에서 "나를 들여다보는 데에는 산책만 한 '책'이 없다"며 "엄청난 분노가 치밀어 오를 때 치밀어 오를 때, 꼭 그 한 사람이 말하지 않아도 알만한 한 사람 때문에 울화통이 터져서 운동화를 신고 밖으로 뛰쳐나갔다"라고 한다.

풋! 나도 그랬는데.

가끔은 한 사람이 아니라 두 사람이 마음에 분노로 치고 들어올 때도 있다는 것.

작년 아들이 고등학교 3학년이었다. 갱년기 입문한 나와 고3 아들, 상상 그 이상.

전시 상황이다. 전쟁은 막아야지. 무조건 피해야 한다.

어디로? 평화의 길, 비무장지대 DMZ인 중랑천으로.

그래 걸어라! 뇌가 명령을 내렸다.

내 최대무기인 운동화를 꺼내 끈을 단단히 묶고 비장한 마음으로 나간다.

잊지 않고 이어폰도 챙긴다.

혼자 걸을 때는 팟캐스트 〈송은이 김숙의 비밀보장〉을 듣는다.

개그맨들이라 그런지 켜켜이 웃기다. 낄낄대며 걷다 보면 마음이 누그러진다.

아, 이제 주변이 보이기 시작한다.

시멘트 바닥 틈 사이로 빼곡히 나온 민들레 한송이에게 말을 건넨다 '대단하다. 들레야! 힘내! 힘내'라고 응원도 보내고, 지는 벚꽃이 아쉬워하는 찰나에 찾아온 라일락을 만나 이문세의 '가로수 그늘 아래 서면'을 흥얼거린다.

봄의 탄성에 감탄하면서. 중랑천 길을 걷는 주인공들의 모습도 관전 포인트.

손을 꼭 잡고 걷는 노부부, 불편한 몸이지만 한발 한 발 내딛는 어르신들의 뒷모습.

각자의 보폭으로 걸어가는 그들의 뒷모습에 위로받는다.

언젠가 만날 나의 뒷모습을 상상하며 "그래 잘 살 거야. 행복해져라."라고 마법의 주문을 걸어본다.

그쯤 한 사람에게서 연락이 온다.

"언제 와? 들어올 때 막걸리 사 와"라고.

"알았어" 마지못한 척 대답하고 동네 슈퍼에서 장수 막걸리 한 병을 사고 들어간다.

먼저 누군가 미안하다고 말할 때도 있고, 그냥 넘어갈 때가 더 많다.

그런 일들로 '탓'의 주인을 찾다 보면 지질해진다는 것을 암묵적으로 서로 안다(고 믿고 싶다).

막걸리 한잔 건배에 쓸어내리면 되지. 뭐.

이영미 작가는 우울하고 생각이 갈라지고 마음에 여유가 없을 때, '그럴수록 산책'을 하라고 한다. 한 발 떨어져서 무심히 바라보면 세상은 코믹하다고. 진정한 평화주의자시다.

걷다 보면 마음의 근력도 늘리고, 회복 탄력성도 늘리고, 평화주의자가 되고.

이 좋은 걷기를 매일 누리고 살면 조금은 평화롭지 않을까.

그나저나 정치인들이 걸어야 할 텐데. 국회의사당 내 이동 중에도 차를 탄다니. 왜 매일 싸우는지 알겠네. 정치인들이여 걸어라.

'걷기의 가치를 그들에게 전도하고 싶다'라는 의무감이 번뜩 떠오른다.

하루키에게 지속주를 배우다

무라카미 하루키는 〈달리기를 말할 때 내가 하고 싶은 이야기〉에서 "나는 대단한 마라톤 주자는 아니다. 그러나 그것은 중요한 문제는 아니다. 어제의 자신이 지닌 약점을 조금이라도 극복해 가는 것, 그것이 더 중요한것이다"라고, 말한다.

나의 최애 작가 하루키, 그에게 하이볼과 재즈의 매력을 전도 받은 나는 마라톤의 기술도 전도 받았다. 자타공인 저질 체력의 대표주자인 나는 고작 30미터를 뛰지 못해 눈앞에서 버스를 놓치기가 일쑤였고, 지하철 계단을 오르고 나면 토할 것 같은 기분이 여러 번.

면역력이 떨어지면 나타나는 이석증까지 생겼다. 너덜너덜해진 체력 때문에 회사 근처 병원에서 수액도 여러 날 맞았다.

이 체력으로 20년 넘게 직장 생활을 해낸 워킹맘이라니.

아마도 어린 양을 가엾게 여긴 하나님 덕분이다.

정신력도 바닥을 쳤다. 나를 괴롭혔던 직장 상사 때문에 하루하루가 고통이었다.

무작정 달리기 연습을 시작했다.

처음에는 1킬로 뛰기도 힘들었다. 숨이 턱까지 차오른다. 뛰다, 걷다, 멈추기를 반복하다 보니, 이렇게 해서는 늘지 않는다.

가장 중요한 것은 하루키가 강조한 '천천히 달리더라도 멈추지 않기'.

밤마다 운동화 끈을 단단히 묶고 밖으로 나간다. 이어폰과 운동화만 있으면 준비 끝.

한 달 지나고 두 달 지날 때마다 뛰는 거리가 늘고 있다는 사실에 성취감도 늘어난다.

이것은 불변의 진리다.

소모하는 열량도 야금야금 늘면서 살도 빠진다.

이것도 불변의 진리다.

그런데 갑자기 예상치 못한 순간을 느끼게 된다.

몸이 가벼워지고 말로 표현할 수 없는 희열, 이를 '러너스 하이'(runners high)라고 하는데 마약 투약했을 때 나타나는 증상과 유사하다고 한다.

마약 대신 달리기를 하지. 몰래 숨지 말고, 정정당당하게 합법적으로 환각 상태의 효과를 누릴 수 있는데. 이걸 모르다니.

운동화만 있으면 되고, 무엇보다 밖에서 마음껏 도파민 효과를 누릴 수 있으니, 마약 근절 캠페인을 시작할까? 뜬금없는 소명 의식이 불끈 솟아오른다.

내가 달리기 연습하는 것을 동네방네 소문내었더니 전 직장 상사 K 실장이 마라톤 대회를 같이 나가자고 했다. 무조건 오케이 땡큐다. 동료 K 피디까지 합류했다.

운동하는 사람 옆에 운동하는 사람. 법칙이다, 법칙.

10여 년 전에도 같은 대회에 참가했던 우리는 연습 없이 나간 덕분에 몸과 혼이 다 빠진 상태로 거의 걸어서 들어왔다, 기억이 생생하다.

아무튼 우린 각자의 루틴으로 연습했다.

　결전의 날, 출발선 앞에선 참가자들은 모두 최고의 흥분상태. 달리기는 기세다. 기세가 하늘을 찌른다.

　출발 신호가 울리자 우린 자기만의 페이스로 달렸다. 그때보다 훨씬 자세도 다르고 달릴 때 느낌도 다르고. 무엇보다 강해졌다.

　30대보다 강해진 40대가 되었다. 나이와 반비례한 능력치에 느끼는 희열, 그리고 이후 두 번을 함께 달렸다, 앞으로도 함께 달릴 대회가 많다.

　이제 하프 코스로 목표를 상향해야 하는 건 아닌지. 그렇죠? 실장님 그리고 피디님! 나의 러닝크루들 파이팅! 직장동료에서 러닝 참여자로, 취미를 공유하는 사이로 스펙트럼이 넓어졌다,

달리기, 단지 좀 더 체력을 강화하고자 시작했는데 예상보다 많은 것이 내게 왔다.

체력은 기본이고, 살도 빠졌다. 사람도 얻고, 취미가 생겼다.

하루키는 "리듬을 단절하지 않는 것. 리듬이 설정되기만 하면 그 뒤로는 어떻게든 풀려나간다. 탄력을 받은 바퀴가 일정한 속도로 확실하게 돌아가기 시작할 때까지는 가속하는 힘을 멈추지 말아야 한다"라고 한다.

나의 달리기는 오늘도 리듬을 타는 중이다.

어디 달리기뿐인가, 공부도, 일도, 그림 그리기도, 글쓰기도. 확실하게 돌아갈 때까지 멈추지 말아야 한다.

비행기를 타지 않아도, 버스나 기차를 타지 않아도 우리는 매일 여행할 수 있다.

바로 길 위에서. 그 길 위를 걷고 뛰고 먹다 보면 웃게 된다.

우연한 만남도 생긴다. 달리기 연습을 하고 있으면 지나가는 러너들이 '화이팅' 응원을 건네기도 한다.

길에서 주고받는 이 소소한 일상을 누리는 것으로 충분히 행복한데, 예상하지 않았던 나의 삶에 양질의 목표까지 생긴다.

걷고 뛰면서 체력을 덤으로 얻고, 더 많이 먹을 수 있게 되고, 좋은 사람들도 만나면서 나의 궤적을 넓혀가고 있다는 것을 어느 순간 느끼게 된다.

특히 난 내 꿈을 발견하는 행운을 가졌다.

오십 세의 나이에 '작가'라는 꿈을 갖게 된 것은 축복이다.

걷다가 나에게 집중하며 내가 좋아하는 것이 무엇인지 끊임없이 내면의 대화를 이어가다가 찾은 '작가'라는 꿈, 심장 뒤에 숨겨졌던 나의 보물 같은 꿈을 발견했다.

매일 뜨겁게 심장이 뛴다. 걸어서 심장이 뛰고, 꿈이 생겨서 심장이 뛰고.

걷고 뛰면서 차곡차곡 쌓인 지구력과 집중력으로 책상에 앉아 몇 시간씩 글을 쓸 수 있게 되었다.

심리학자 카를 구스타프 융은 "일생의 특권은 진정한 자신이 되는 것이다."라고 했다.

진정한 자신을 만날 수 있는 가장 간단한 방법의 하나인 '걷기'에 모두 함께 할 수 있기를 소망한다.

심장 뒤에 숨겨진 꿈도 찾을 기회를 만날 수 있을 것이다.

확실하다.

PS. 나를 걷고 뛸 수 있게 이끌어 준 걷는 사람 하정우, 마라토너 무라카미 하루키, 꿈을 찾을 수 있도록 도와준 마녀 체력 이영미 작가에게 진심으로 고마움을 전합니다.

이영미

dra001@gmail.com

출판지도사, 책쓰기 강사, 여행인문학 강사
반도체인문학 강사

한 번 키워서 백 배를 얻는 것은 사람이다.
- 관자(管子)의 권수편(權修篇)

교육은 백년지대계
그 증거의 도시 가고시마

가고시마는 어떻게
메이지 유신의 고향이 되었는가?

현지인이 안내하는 가고시마 역사 여행

처음 가고시마에 가려고 결심한 이유는 동경의 우에노 공원에 있는 사이고 다카모리라는 사람의 동상을 보고 궁금해졌기 때문이었다. 책에서 읽은 바에 따르면 그는 가고시마에서 태어나고 자라고, 그리고 죽었다. 일본의 남쪽 끝에 있는, 가고시마에서 나고 자란 사람이 멀리 떨어진 동경 한복판 우에노 공원에 서 있다. 그의 동상이 세워진 건 그가 죽은 지 21년 뒤인 1898년이었다. 그는 '유신 3걸' 중 한 명이다. 유신이란 메이지 유신(明治維新, 명치유신이라 부르기도 함)을 의미하는데, 일본이 봉건 체제에서 근대로 이동한 변혁 과정을 일컫는다. 봉건 구체제를 뒤엎은 개혁에 중요한 역할을 했던 사이고 다카모리, 오쿠보 도시미치, 기도 다카요시 세 명을 '유신 3걸'이라고 부른다. 메이지 유신 150주년이 되는 2018년, 일본의 공영방송 NHK는 대하드라마 주인공으로 사이고 다카모리를 선택했다. 톰 크루즈 주연의 할리우드 영화 "라스트 사무라이(2003년)"의 주인공도 그다.

〈1898년 세워진 동경 우에노 공원에 있는
사이고 다카모리 동상〉

가고시마에 도착한 첫날, 저녁을 먹기 위해 숙소 근처 이자카야에 들렀다. 점원의 실수로 일행이 아닌데 주문이 함께 들어간 덕에 옆자리에 앉은 사람과 말을 섞게 되었다. 이름은 겐, 겐 상('상'은 일본인 이름 뒤에 붙이는 호칭으로 '~씨'와 유사함)이라 불렀다. 그는 가고시마에서 태어나고 자랐고, 30년 이상 보험업을 하고 있다면서 명함을 건넸다. 특정 보험회사 소속이 아닌 여러 보험사의 상품을 모두 취급하는 개인사업자였다. 종종 다른 현에서 방문한 고객에게 가고시마 여기저기를 안내한다고 한다. 사이고 다카모리의 고향이 궁금하여 가고시마에 왔다고 하니, 외국인이 옛날에 활약한 자기 고향 사람에 관심을 가지는 것이 감동이라며 마침 다음날이 쉬는 날이라고 관련 명소 안내를 자청했다.

〈사이고 다카모리 탄생지 안내판(좌) 돌비석으로 위치만 표기한 생가터(우)〉

먼저 나의 목적지였던 사이고 다카모리가 태어난 생가터와 그가 후학을 가르쳤던 건물을 방문했다. 생가터는 말 그대로 생가가 있던 터인데, 그 위치를 돌로 표기했다. 태어난 곳이니 집이 있고 내부에 가족이 썼던 생활용품 혹은 유품이 있을 거라고 기대했던 터라 살짝 실망했다.

〈가고시마 중앙 고등학교 외벽에 사이고 다카모리 초상과 그의 좌우명인 경천애인(敬天愛人)이 그려져 있다.〉

두 번째 방문지였던 사이고 다카모리가 후학을 가르쳤다는 장소에 갔다. 1층짜리 건물 앞에는 상주 자원봉사자가 있었다. 밖에서 보이는 대청마루 같은 공간은 손님 접대 시에만 쓰고, 보이지 않는 안쪽에 생활 공간과 공부하는 공간이 있다는 상세 설명을 들었다. 사이고 다카모리는 인재 양성에 힘썼는데 그의 좌우명 경천애인(敬天愛人)의 애인(愛人)은 사람에 대한 애정이 들어있다. 혼자 갔으면 여긴 뭐지? 하면서 그냥 지나칠 곳이었다. 상주하는 자원봉사자에게 굳이 말을 걸지도 않았을 그냥 옛날 집 한 채였다. 60세는 족히 넘어 보이는 자원봉사자 또한 이 동네에서 나고 자라신 분이었다. 눈빛에서부터 자부심이 묻어났다. 가고시마 시내에 있는 고등학교의 벽에 사이고 다카모리의 얼굴과 그의 좌우명이 그려진 것을 보니, 가고시마가 얼마나 교육에 진심인지 전해졌다.

19세기 말, 그리고 19명의 유학생

점심을 먹고 본격적으로 그가 안내하는 기념관 두 곳을 방문했다. 유신 후루사토 관과 사쓰마 학생기념관이다.

유신 후루사토 관은 가고시마 시내에 있다. 후루사토란 일본어로 고향이란 뜻이다. 직역하자면 메이지 유신의 고향 기념관이라고 할 수 있겠다. 메이지 유신과 관련이 있는 가고시마 출신의 인물들을 중심으로 전시 및 교육을 하는 곳이다.

전시물은 시각, 촉각, 청각 등을 이용할 수 있게 되어 있었고, 설명서도 잘 되어 있어 그들의 역사를 잘 모르는 외국인도 대략의 내용은 파악할 수 있다. 지하 1층에 상영관이 있는데, 20분 남짓한 2개의 영상을 매일 6~7회 상영한다. 영상 중 하나는 '유신으로의 길'이라는 제목으로, 유신 3걸을 닮은 실사 크기의 움직이는 인형들이 나와 서로 대화를 하면서 당시 일본의 상황과 각자의 고민을 털어놓으며 극을 이끈다. 다른 하나는 '사쓰마 스튜던트, 서쪽으로'라는 제목으로 뒤에서 언급할 영국으로 유학한 19명의 여정을 배우들이 연기한 영상이다. 출발 전의 설렘과 두려움부터 시작하여 도착하는 도시마다 낯설고 신기한 광경들에 감탄하고, 마지막으로는 그들이 귀국 후에 어떤 삶을 살았는지 자막으로 보여주며 영상이 끝난다.

〈유신 후루사토와의 상영관 입구(좌)와 상영관 내 무대(우). 유신 3걸과 사쓰마 유학생에 관한 각 20분 내외의 짧은 영상을 하루 6~7회 상영한다. 영상과 함께 실제 사람 크기의 움직이는 인형들이 등장해 연기한다.〉

다음으로 방문한 곳은 가고시마 시내에서 자동차로 약 1시간 정도 거리의 하시마 해변에 있는 사쓰마 학생기념관이다. 뚜벅이 여행자가 대중교통으로 가기 어려운 곳이기도 하고, 현지인의 안내가 없었다면 이런 곳이 있었는지 전혀 알지 못했을 곳이다.

〈사쓰마 학생기념관 전경(좌)과 후면(우). 후면 2층은 배의 돛과 일본과 영국의 국기를 상징적으로 설치했다.〉

전시 동선은 사건의 원인이라고 할 수 있는 '나마무기 사건'부터 시작한다. 1862년 9월 나마무기 마을(현재 요코하마시 쓰루미구의 일부)에서 일어난 사건이다. 사쓰마번 영주들이 나마무기 마을을 지날 때, 영국인들이 행렬을 방해했다. 이들의 무례에 사무라이들은 칼을 휘둘렀고 그 결과 영국인 중 한 명은 죽고 나머지는 중상을 입었다. 결국, 일본 주재 영국 공사는 사건에 대한 사과, 살해범에 대한 처형, 그리고 막대한 배상금을 요구했다. 그러나 사쓰마번은 그들의 요구를 거부했다. 1년 뒤 영국은 함대를 파견했고, 사쓰마번과의 전쟁으로 이어졌다.

〈나마무기 사건 당시 사쓰마번 사무라이에 찔려 죽은 영국인〉

이 전쟁에서 영국에 항복한 고다이라는 인물이 있다. 그는 적군에게 자진 항복을 하였기에 도망자로 숨어지내면서 외국인들과 친분을 쌓았는데, 이들을 통해 일본 밖 세상에 대해 상세히 알게 되었다. 당시 일본은 통상수교거부정책을 펴고 있었는데, 그는 일본도 근대화를 해야 한다고 생각하여 이러한 내용이 담긴 보고서를 써서, 당시 사쓰마번을 다스리고 있던 시마즈 가문에 제출하였다. 1864년 6월경의 일이었다. 이 보고서에서 그는 사람들이 외국에서 공부하고 서양의 기술을 배워야 일본의 근대화를 촉진할 수 있다고 주장했다.

사쓰마번은 1865년 2월 13일 영국으로 보낼 4명의 시찰단과 15명의 학생을 선발하였다. 그리고 두 달 후 현재의 사쓰마 학생기념관이 있는 이곳 하시마에서 영국으로 가는 배에 올랐다. 당시는 봉건시대였기 때문에 그들은 개인이나 가족을 위해서가 아니라 주인인 주군을 위해 유학길에 올랐다고 한다. 그러나 때가 때인 만큼 공식적으로 보낼 수는 없었다. 쇄국의 시대였다. 사쓰마번 지배하의 섬들을 시찰하러 간다고 서류를 꾸몄고, 본인의 이름이 아닌 다른 이름이 주어졌다. 앞서 방문했던 유신 후루사토 관에서 이들에 관한 영상을 먼저 보았기 때문에, 전시 내용이 더 흥미로웠고 유학생 한 명 한 명 더 관심이 갔다.

이들은 13살부터 32살까지 연령대가 다양했지만, 모두 학교에서 성적이 우수한 이들로 선발된 정예 요원들이나 마찬가지였다. 영어 혹은 네덜란드어를 공부하였고 1, 2등을 차지할 만큼 똑똑하고 의욕 넘치는 젊은이들이었다. 유학 이후 다음 해에 바로 귀국한 이도 있고, 여러 나라를 시찰 후 미국으로 이동하여 공부를 이어간 이도 있고, 미국에 눌러앉은 이도 있다. 유학 후 각자의 인생 여정은 달랐지만 모두 일본의 근대화 과정에 큰 역할을 하였다.

〈삿포로에 맥주 양조장을 세운 사쓰마 유학생에 대한 포스터〉

시마즈 가문에 학생 파견을 제안했던 고다이는 귀국 후 오사카에 조폐국을 설립하는 데 이바지했고, 오사카상공회의소의 첫 회장이 되었다. 유학 중 대영박물관 등 유명한 박물관을 방문했던 이는 향후 일본의 박물관 건설에 큰 역할을 했고, 지금의 박물관 형태의 최초라 할 수 있는 제국박물관의 초대 관장이 되었다. 또 다른 이는 도쿄대학의 총장이 되었다가 국립 국회도서관장 및 국립 도쿄

박물관의 관장을 역임하기도 한다. 귀국 후 북해도로 넘어가 독일에서 양조법을 배운 이와 함께 일본 최초의 양조장을 건설한 이도 있다. 이 것이 현재의 삿포로 맥주 공장으로, 이 이야기는 가고시마 도착 첫날 저녁을 먹었던 이자카야 벽에도 붙어있었다(142페이지 사진). 미국 해 군사관학교에 입학하여 해군 기술을 배운 후 일본 해군사관학교의 총 장을 역임한 이도 있다. 첫 문부과학성 장관도 있다. 가장 어렸던 13 살의 아이는 후에 미국으로 건너가 포도주 양조장 사업에서 크게 성공 하여 "캘리포니아 포도왕"이 되었다. 기록을 남긴 이도 둘이나 되어 당시 이들의 유학 생활에 대해 알 수 있다.

한 번 키워서 백 배를 얻는 것이 사람

　인재 양성 또는 교육에의 투자의 중요성에 대해 말할 때 종종 사용하는 "교육은 백년지대계(教育百年之大計)"라는 말은 어디서 왔을까? 바로 관자(管子)의 권수편(權修篇)이다. 관자(管子)는 중국 전국시대에 활동하던 제자백가들의 사상을 엮어 놓은 문집이고, 권수편(權修篇)은 권력을 유지하는 방법에 대해 적은 것이다. 그 내용은 다음과 같다(해석 전통문화연구회).

　一年之計(일년지계) , 莫如樹穀(막여수곡)
　일 년의 계획은 곡식을 심는 것보다 중요한 것이 없고,
　十年之計(십년지계) , 莫如樹木(막여수목)
　십 년의 계획은 나무를 심는 것보다 중요한 것이 없으며,
　終身之計(종신지계) , 莫如樹人(막여수인)。
　일생의 계획은 사람을 키우는 것보다 중요한 것이 없다.
　一樹一穫者(일수일확자) , 穀也(곡야)
　한 번 심어서 한 번 거두는 것은 곡식이고,
　一樹十穫者(일수십확자) , 木也(목야)
　한 번 심어서 열 배를 얻는 것은 나무이며,

一樹百穫者(일수백확자), 人也(인야)。
한 번 키워서 백 배를 얻는 것은 사람이다.
我苟種之(아구종지) , 如神用之(여신용지) ,
내가 참으로 인재를 키우면 귀신같이 마음대로 그를 쓸 수 있을 것이니,
擧事如神(거사여신) , 唯王之門(유왕지문)。
나라 다스리기를 이처럼 귀신같이 할 수 있으면 오직 왕이 되는 문(門)이다.

19세기 말 쇄국의 시절에 사쓰마번은 19명을 영국으로 보냈다. 19명의 학생이 본국으로 돌아와 일본 근대화에 큰 역할을 했고 이후 현재의 일본까지도 가고시마 출신의 사람들이 활약하고 있는 것을 보면 "한 번 키워 백 배를 얻는 사람"이란 말을 눈앞에 보는 듯하다.

고마즈의 보고를 받은 이후의 날짜를 헤아려 보면 지배층의 의사결정도 빨랐고 행동에 옮긴 것도 신속했다(보고서 제출 1864년 6월경, 유학생 선발 1865년 2월 13일, 출항 1865년 4월16일). 어떻게 그럴 수 있었을까?

사쓰마번을 지배하던 시마즈 가문은 가마쿠라 시대(1185~1333)부터 에도 시대(1603~1868)까지 약 700년 동안 그 지역을 계속 통치해 왔다. 그 긴 세월 여러 차례 멸망의 위기를 극복해 왔을 것이다. 그리고 동해, 동중국해, 태평양의 3개의 바다에 둘러싸여 있어 많은 섬을 귀속하고 있다. 이들을 통한 해상교역도 활발했을 것이다. 전성기에는 현재 오키나와인 류큐 왕국까지도 지배하여 쇄국 시기에도 류큐 왕국을 통해 해외와의 교역을 멈추지 않았다. 사쓰마번의 지도자

들은 해외로부터의 기술을 받아들이는 데 망설임이 없었고, 큰 비용을 들이면서까지 몇 년을 기약할 수 없는 유학을 강행하였다. 해외로부터의 정보와 문화에 거부감이 낮고, 내 것으로 만드는 방법은 교육뿐이었을 것이다.

가고시마로 돌아오는 길에 들으니, 휴일을 반납하고 종일 안내 해준, 겐 상이 내게 호의를 베풀게 된 이유가 있었다. 본인이 20대 초반에 2주간의 미국 여행 경험이 있었다. 지금 60대인 그가 20대였던 1980년대는 해외여행이 요즘만큼 자유롭지 않았을 때다. 당시 양장점에서 일을 하고 있었고, 일하는 동안 습관적으로 라디오를 켜 두었단다. 평소와 같이 라디오를 듣고 있었는데 미국이란 나라 소개가 나왔는데 갑자기 미국에 가고 싶어졌다고 한다. 곧바로 사장님에게 미국에 가야겠으니 장기 휴가를 달라, 그리고 여행 경비를 빌려달라고 했다고 한다. 실행에 옮길 만큼 왕성한 그의 호기심과 용기도 놀랍지만, 휴가뿐 아니라 대출까지도 허락해 준 사장님은 마치 19세기 말의 시마즈 가문이 연상되었다. 2주간 샌프란시스코에서 금문교도 보고 뉴욕에서 자유의 여신상도 보았다고 한다. 나고 자란 시골 마을 가고시마에서는 볼 수 없는, 사람 많은 대도시의 모습에 충격과 감탄을 동시에 느꼈고 이후 자신의 인생은 미국에 가기 전과 후로 나누어졌다고 강조했다. 미국에서 돌아온 후 몇 년은 양장점에서 계속 일을 하였지만, 이후 보험업으로 전업했다. 전국의 많은 사람을 만나 새로운 정보를 얻고 배울 수 있는 이 직업에 좋아 30년이 넘었다. 다른 지역이든, 외국이든 견문을 넓히기 위해 떠나는 용기와 열정을 응원하고 있다. 이러한 기질은 그의 젊은 시절 미국 방문 경험 때문일까? 이 도시에서 지속되어 온 교육열을 이어받았기 때문일까?

헤어지며 물었다.

"소중한 휴일을 반납하고 이런 친절을 베풀어 주신 것에 대해 어떻게 갚아야 할까요?"

망설이지 않고 이런 답을 주신다.

"언젠가 외국에서 온 호기심 왕성한 사람을 우연히 만나면 그에게 똑같이 베풀면 됩니다."

<가고시마 중앙역 광장에 있는
사쓰마번 유학생 기념 동상>

하봉곤
ha9499@naver.com

항상 떠날 준비가 되어 있고,
사랑의 실천을 간구하는 여행작가

가장 위대한 여행은 지구 열 바퀴 도는 여행이 아니라
단 한 차례라도 자기 자신을 돌아보는 여행
-마하트마 간디

자신을 되돌아보는 시간여행
순례길 걸으며 힐링하세요

걸으며 힐링하는
제주도 순례길

순례길을 왜 걷는가?

인생을 동반자와 함께 떠나는 여행에 비유하는 경우가 있다. 헤르만 헤세는 "여행을 떠날 각오가 되어 있는 사람만이 자기를 묶고 있는 속박에서 벗어날 수 있다."라고 했다. 일상이나 여행지에서 어떤 길을 걷든 그 길을 함께 걷는 이가 있다면 그 여정은 서로 의지와 위로가 됨을 우리는 삶을 살아가며 경험하게 된다. 한 걸음, 한 걸음 걸으며 자기 자신을 돌아보고 생각을 정리할 수 있는 소중한 시간, '힐링(healing), 치유'가 이뤄진다. 이러한 시간을 동반자와 함께하면 양보와 배려를 통해 상대방에 대한 이해의 폭이 넓어지고, 각자의 고민과 어려움에 대해 격려와 응원으로 서로를 지지하는 계기가 마련된다.

소통은 서로의 가치관과 감정을 교환하는 과정에서 상대방을 인정하고 이해하는 데 중요한 역할을 한다. 함께 걷는 여정에서 갈등을 예방하고 해결하는 데 필수적인 수단이 된다. 돌발 상황에서 항상 의견일치를 이룰 수 없기에 서로에 관한 관심과 존중의 발걸음이 목적지까지 함께 걸을 수 있는 원동력이 된다.

소통을 통한 동행은 서로의 성장과 발전의 기회가 되고 도전에 대해 격려하며 서로 배우고, 성장하는 과정을 거쳐 어려움을 극복하는 과정을 공유하게 된다. 이루고자 하는 목표를 달성하며 성공의 길을 함께 하는 기쁨을 나누며 그 과정을 함께 하기 위해 동반자와 여행을 떠나고, 같은 방향으로 뜻을 모아 걷게 된다.

사전적 의미에서 '성지순례'는 순례자가 종교적 의무를 지키거나 신의 가호와 은총을 구하기 위해 성지 또는 본산(本山) 소재지를 차례로 찾아가 참배하는 일로 정의된다. 교회에서 성지순례는 그리스도를 따르는 깊은 신앙의 표현으로 '성지순례'라는 표현은 일반적으로 유다교인들이 해마다 오순절, 유월절 등에 예루살렘 성전을 찾아가 수확한 제물을 봉헌한 의식에서 기원한다고 알려진다. 그리스도교에서는 하느님에 대한 경외, 성인에 대한 존경, 영적 은총을 받기 위한 실천 등으로 성지순례의 의미를 확장 시켰다. 유럽, 남미 등 성지는 성모 마리아와 관련된 곳이 대부분이고, 우리나라의 성지는 박해와 순교자에 대한 역사라는 점에서 큰 차이가 있다.

순례길은 여러 곳을 차례로 방문하거나 종교적으로 의미 있는 곳을 찾아다니며 참배하는 길을 의미한다. 그리스도인이든 아니든 관계없이 순례길을 걷는 의미는 옛 순례자들의 발자취를 따라 걸으며 순례길 이면에 있는 역사와 경관의 매력에 빠지며 자신을 되돌아보는 시간을 갖게 된다. 순례길을 걸으며 여행자에서 순례자로 변모하는 자신을 발견하게 되고, 단순한 의미의 길이 순교자, 선교자가 걸었던 순례자의 길로 시간여행을 시작하게 된다.

제주에는 어떤 순례길이 있는가?

천주교 제주교구는 2012년부터 2017년까지 '산토 비아조'(Santo Viaggio, 거룩한 여행)라고 하는 6개 순례길 조성을 마무리했다. 제주도의 순례길은 걸으며 느끼는 영성과 종교적 의미뿐만 아니라 제주만이 줄 수 있는 아름다운 경관과 역사, 문화를 경험할 수 있는 매력 넘치는 순례길이다. 이 순례길은 묵주기도가 지향하는 네 가지 '신비'로 명명되었다. 김대건 길(빛의 길), 하논성당 길(환희의 길), 김기량 길(영광의 길), 정난주 길(고통의 길), 신축화해 길(화해의 길), 이시돌 길 1, 2, 3(은총의 길)로 정해 관련 대표적 인명, 지명, 사건명 등의 특징을 담아 순례길 이름에 반영했다.

#1. 김대건 길(빛의 길)

'김대건 길'은 2012년 9월 15일 개장했으며 출발지 고산성당(제주시 현경면 고산리 2863번지)에서 신창성당(제주시 현경면 산창리 705)으로 연결되는 약 12.6km의 순례길이다.

용수포구는 김대건 신부가 1845년 8월 중국 상해에서 사제서품을 받은 후 일행 13명과 함께 '라파엘호'를 타고 서해를 통해 귀국하던 중 풍랑에 의해 표착한 곳으로 우리나라에서의 첫 미사를 봉헌한 큰 의미가 있는 장소이다. 이를 기념하기 위해 성 김대건 신부 제주표착 기념성당, 기념관이 설립되었고, 고증을 거쳐 복원된 라파엘호를 관람할 수 있다.

　수월봉은 2010년 유네스코 세계지질공원으로 지정된 곳에 기상대가 있는데 한반도로 향하는 모든 바람을 관측하고 있다. 정상에서 차귀도의 서쪽 바다와 천혜의 자연에서 만끽할 수 있는 아름다운 낙조를 감상할 수 있다. 자구내포구는 제주도의 가장 서쪽에 있는 포구로 고산평야에서 해안으로 흐르는 하천이 바다와 만난다. 일제강점기 세워진 민간 등대인 '도대불'과 당산봉이 있는데 이곳은 복식화산으로 분화구 안에 알오름을 품은 독특한 구조로 바다 쪽 벼랑에 다섯 개의 해식 동굴이 있어 제주의 멋진 풍광을 감상할 수 있다.

#2. 하논성당 길(환희의 길)

'하논성당 길'은 2013년 4월 20일 개장한 순례길로 출발지 서귀포성당(서귀포시 태평로 398)에서 출발하여 하논성당 터와 면형의 집을 거쳐 다시 서귀포성당으로 도착하는 약 10.6km의 순례길로 시작과 끝이 연결되어 있음을 깨닫는 '성찰의 길'을 의미한다.

천지연 산책로는 천연보호구역으로 지정된 곳으로 아열대성, 난대성 상록수가 우거진 천지연계곡의 절경을 감상할 수 있다. 하논은 큰 논을 의미하는 우리말 '한 논'에서 유래하는데 제주의 마르형 분화구로 바닥에 물이 흘러나와 벼농사를 가능케 했다.

산남지역 신앙의 못자리인 하논 성당 터와 하논분구를 거쳐 타케신부가 하논 성당을 걸었던 길, '타게 신부의 길'이 있으며 이곳은 서귀포 70경에 꼽힌다. 도심 속 휴식처로 알려진 솜반내와 100년 수령의 소나무 거목이 빚어내는 명품 산책길로 '아름다운 마을 숲'으로 선정(2002년)된 흙담소무길을 지나 서귀복자성당과 올레 매일시장, 이중섭거리와 타케신부거리(하는 성당 터에서 홍로성당터까지 5.4km) 등 문화의 거리를 만날 수 있다.

〈타케 신부 길〉

타케 신부는 제주에 서식하는 왕벚나무를 비롯한 7천여 점의 식물 표본을 채집하여 해외 대학과 연구소에 소개했고, 그 가운데 2천 여 종의 제주 식물 등을 세계에 소개한 사제이자 식물학자이다. 학명에 '타케(taquetii)'라는 이름이 포함된 식물이 약 20 여종에 이른다. 일 본으로부터 온주밀감 나무를 최초로 도입하여 제주 감귤 산업의 초석 을 마련했다.

#3. 김기량 길(영광의 길)

'김기량 길'은 2014년 6월 21일 개장한 곳으로 제주에 처음으로 신앙의 씨앗을 뿌린 '제주의 사도'이자 최초의 순교자인 김기량 펠릭 스베드로의 발자취를 따르는 약 8.7km로 조성되어 있으며 조천성당

(제주시 조천읍 조천2길 19)을 시작으로 조천해안을 따라 조천포구,
신흥포구, 함덕포구를 지나며 연북정 환해장성 등의 유적지를 만날
수 있다.

조천성당은 풍경이 아름답기로 유명한 성당으로 언덕에 위치하여 푸
른 바다와 조천포구의 그림 같은 풍광을 한눈에 볼 수 있으며 김기량
펠릭스베드로 순교현양비가 세워진 곳이다. 조천포구는 조선시대 제주
의 관문으로 1858년 김기량이 홍콩에서 세례를 받고 귀환한 곳이다.

관곶은 고려시대 조천포구에 조천관이 있을 때 조천관 가는 길목에
있다는 의미로 '관곶'이라 했고, '제주의 울돌목'이라 할 만큼 파도가

거센 지역이다. 신흥포구는 편안한 풍경을 감상할 수 있는 곳으로 넓은 백사장이 드넓게 펼쳐진 아름다운 곳이다. 서우봉은 김기량의 생가로 추정되는 곳으로 고운 모래로 펼쳐진 백사장과 아름다운 풍광을 감상할 수 있는 함덕해변이 있다.

#4. 정난주 길(고통의 길)

'정난주 길'은 2015년 11월 7일 개장했으며 정난주 마리아묘(서귀포시 대정읍 동일래)에서 시작해 모슬포성당(시귀포시 대정읍 하모리 805)에 이르는 약 7km로 조성된 순례길이다. 정난주 마리아는 신유박해(1801년) 때 남편 황사영 알렉시오의 백서사건으로 제주도 대정에 유배되었고, 추자도에서 아들 황경한과 생이별하는 아픔 속에서도 이 고장의 신앙의 뿌리로서 몸을 바쳐 순교했다.

〈정난주 마리아 묘〉

조선시대 제주의 삼읍성 중 한 곳인 대정현성은 18동의 관아 건물로 성담과 성문이 보존되어 있다. 대현성터 안쪽에 있는 김정희 유배지는 조선 후기 문신이자 화가였던 김정희가 유배하던 곳으로 이곳에서 추사체를 완성하였다. 김정희 추사관을 지나, 대정향교, 형제 해안로, 공룡 발자국 화석 발견지, 알오름, 섯알오름, 위령탑 등 유적지를 관람할 수 있다.

#5. 신축화해 길(화해의 길)

'신축화해 길'은 2016년 10월 22일 개장한 순례길로 신축교안의 희생자들이 함께 안장된 황사평성지(제주시 기와5길 117-22)을 시작으로 제주로 유배된 정난주 마리아가 도착한 화북포구, 관덕정을 거쳐 중앙 주교좌성당(제주시 삼도2동 114)에 이르는 약 12.6km이다.

<황사평성지>

제주 근현대사의 아픈 상처인 4·3 사건과 신축교안의 역사적인 상처를 담고 있는 곳으로 1901년 신축교안 당시 제주교인들이 희생된 관덕정과 희생자들이 버려진 별도천, 희생자들 가운데 연고가 없는 이들이 모셔진 황사평을 순례길의 시작으로 1901년 신축교안 당시 제주지역 최초의 본당인 중앙 주교좌성당에 이르는 순례길이다.

순례길 여정에서 1801년 신유박해 중 황사영 백서사건으로 유배되어 정난주 마리아가 도착한 화북포구, 4·3 사건으로 사라진 곤을동 마을 등 역사의 현장을 지나 별도봉, 사라봉의 해안 절경을 거쳐 고통의 역사에서 화해로 향하는 과거와 현재의 역사적 의미를 되새기는 시간을 느끼게 된다.

#6. 이시돌 길 1, 2, 3(은총의 길)

'이시돌 길 1, 2, 3'은 2017년 9월 23일 개장한 총길이 33.2km로 제주 순례길 6개 가운데 마지막 개장되었고, 가장 긴 순례길이다. 묵주기도 호수와 성모동굴이 있고, 순례의 기도가 마르지 않는 샘물처럼 연결됨을 의미하는 새미은총의 동산, 예수님 생애 공원, 십자가의 길, 십자가 형태로 지어진 삼위일체 대성당이 위치해 있다. 제주 중산간의 아름다움을 품고 있으며 조수공소, 청수공소를 지나 김대건 길의 시작인 고산성당과 연결되는 순례길이다.

#6. 이시돌 길 1,2,3 (은총의 길)

● 제 1코스 (9.4km)

이시돌센터 전시관 → 글라라 수녀원 → 맥그린치로 → 새미소 뒷길 → 녹원목장 입구 → 밝은오름, 정물목장 → 정물오름 정상
→ 정물알오름 → 엠마우스 후문 → 이시돌센터 전시관

● 제 2코스 (11.8km)

이시돌센터 전시관 → 글라라 수녀원 → 맥그린치로 → 금오름 입구 → 4·3 잃어버린 마을 → 상명리 입구 → 힐링리사무소
→ 저지 삼거리 → 조수공소

● 제 3코스 (12.0km)

조수공소 → 바람의 언덕 → 청수공소 → 낙천의자공원 → 고산리 입구 → 고산2리복지회관 → 고산성당

〈새미은총의 동산에 묵주기도의 호수〉

'맥그린치로'는 임피제, 푸른 눈의 신부인 패트릭 제임스 맥그린치 신부(1928~2018)가 한국전쟁, 4·3 사건 등으로 물질적 빈곤과 정신적 혼란에 빠져있던 제주를 돕기 위해 헌신한 사제의 이름을 기리기 위한 명예도로명이다.

밝은오름은 명악, 적악 등 여러 별칭으로서 오름을 구성하는 흙이 붉은색을 띠어 이름 붙여진 명칭이다. 정물오름은 오름의 기슭에 정물이라고 부르는 샘물이 있다고 하여 이름 붙여진 정물오름이라고 불리고 있다. 대문 없는 마을 상명리, 월림리는 원초적인 제주풍경을 그대로 간직하고 있으며 망오름에서 바라보는 해안 풍경과 석양으로 유명하다.

순례길에서 무엇을 얻는가?

길은 어디에나 있지만 어떻게 걷느냐, 누구와 걷는가에 따라 자신에게 주는 메시지는 다양하게 다가간다. 순례길에 함께하는 동반자들은 서로에게 더 깊은 관심을 갖게 되고, 조금씩 마음을 열고 대화를 통해 서로를 이해하며 이를 통해 나 자신을 되돌아보는 기회로 거듭나게 되어 마침내 추억을 공유하는 관계로 거듭나게 된다. 마하트마 간디는 여행에 대해 다음과 같이 말했다. "가장 위대한 여행은 지구 열 바퀴 도는 여행이 아니라 단 한 차례라도 자기 자신을 돌아보는 여행이다."

순례길에서 동반자와 함께한 동행의 순간들은 소중한 기억이 되고, 진정한 감사가 된다. 함께한 경험을 공유하고 추억을 같이하며, 어려운 순간을 도우며 격려하는 모든 시간이 서로에게 감사함으로 전달되고 앞으로 살아가는 우리 모두에게 큰 힘이 된다. 이처럼 함께한 순간들을 잊지 않고 감사함을 표현함으로써 관심과 신뢰가 더욱 두터워진다.

순례길은 함께한 동반자의 역할은 함께 걷는 것으로부터 시작해서 상호 의지와 지지, 소통과 이해, 성장과 발전, 서로에 대한 존중과 관심 그리고 기억과 감사가 유기적으로 작용하여 함께하는 순례길을 통해 우리를 동반자로 그리고 하나로 거듭나게 된다. 함께한 모든 순간을 소중히 여겨 서로에게 위로가 되어주며 함께 성장하는 동반자로 발전하여 우리가 간구하는 사랑과 행복으로 향하게 되고, 더욱 의미 있는 삶을 살아가는 원동력이 된다.

지치고 힘겨울 때, 삶의 위로가 필요할 때, 기분 전환이 필요할 때, 새로운 세계를 발견하고, 직접 경험을 통한 깨달음을 얻고 삶의 목적을 새로이 찾기 위한 삶의 지혜를 순례길에서 찾을 수 있다. 동행이 있으면 더 좋고 뜻밖의 신비로움을 깨닫게 되고, 자신과 세상에 대한 놀라운 깨달음을 얻게 되는 것, 그런 은총의 순간을 경험하는 것, 그것이 순례길에서 얻는 큰 축복이 된다.

생각을 정리하고, 잊고 있던 나를 새로이 발견하는 시간여행을 통해 자신을 되돌아보길 바란다. 한 걸음, 한 걸음 함께 걷는 동행이 사랑과 행복으로 향하는 순례길에서 힐링이 되고, 감동으로 다가가는 의미 있는 시간이 되길 기원한다.

홍 순 미

soonvision@gmail.com

디자이너로 보이는 것에 집중하며 살았다.
보이지 않는 것들에 관하여 글쓰기를 시작했다.

"내면에서 울리는 소리에 좀 더 귀를 기울이면
외부의 소리도 더 잘 들을 수 있다."
-다그 함마숄드

소리로 듣는 세상 읽기

보통의 소리

<교보문고 서점>

방안을 거닐며

오후 3시, 컴퓨터 앞에 앉았다.

책장 사이 놓인 빛바랜 인켈 오디오에서 FM 라디오 DJ의 경쾌한 목소리가 들려온다. 책상 위 오른쪽 구석에 세워진 아이패드에서 유튜브 영상 속 음악이 쉴 새 없이 흘러나온다. 컴퓨터를 쓰면서 온갖 소리에 둘러싸인다.

잠시 자리에서 일어나 방 안을 서성인다. 주방으로 가 빈 컵에 따뜻한 물을 가득 채우고 책상 앞으로 간다. 리모컨을 들어 라디오를 끈다. 손가락으로 아이패드 화면을 쓱 올려 영상이 사라지게 한다.

조용하다. 잠시 적막함을 느껴본다. 숨이 조금 가볍다. 방 안 가운데 앉았다. 바닥에 놓인 러그 덕분에 딱딱하지 않고 편안하다. 창밖의 가만히 흘러가는 구름을 바라본다. 시간이 간다. 벽에 걸린 무소음 시계는 째깍째깍 시곗바늘 움직이는 소리가 나지 않는다. 시계 소리와 상관없이 시간은 흐르고 있다. '다시 일해야 하는데' 하며 하늘을 한없이 보고 있다.

코로나 이후로 재택근무를 하는 회사들이 늘어나고 있다. 전에 다니던 회사는 일주일에 이틀은 사무실로 출근하고 나머지 삼일은 재택근무였다. 집에서 일하면 출퇴근 없이 그 시간을 비울 수 있어 좋다. 오늘처럼 잠시 방안을 서성거리기도 한다. 이럴 때 집에서 집중하기 좋은 음악이 있다. 에릭 사티의 〈짐노페디 1번〉이다. '오늘은 이 소리를 들으며 일해야지.' 다시 책상 앞에 앉았다.

에릭 사티의 음악은 복잡하지 않고 간결하다. 〈3개의 짐노페디〉는 느리고 단조로운 멜로디로 반복되는 화음에 정적인 분위기다. '음악이 집 안의 가구처럼 자연스럽게 생활 속에 녹아들어 가야 한다'는 에릭 사티의 음악은 당시 클래식 음악에서 요구되던 웅장하고 경건함보다 일상생활의 소음 속에서 들어도 좋은 음악이다.

에릭 사티는 기존 클래식계가 인정하던 주류에서 벗어나 비난을 받으며 사후 잊혔다. 그 후 38년 뒤 프랑스 영화감독 '루이 말'의 영화 '도깨비불'에서 에릭 사티의 피아노곡이 사용되었고, 영화음악이나 광고 음악에 자주 쓰이면서 다시 주목받게 된다. 〈짐노페디 1번〉은 아이파크 아파트 광고와 시몬스 침대 광고에 쓰이기도 했다. 에릭 사티의 삶을 바라보면 그의 음악을 좀 더 풍부하게 이해하고 즐길 수 있다.

서울 한강

에릭 사티(Erik Alfred Leslie Satie)는 1866년 프랑스 노르망디 옹플뢰르의 작은 해변 도시에서 태어났다. 1878년 파리 음악원에 입학하여 음악을 배웠지만 "음악원에서 가장 게으른 학생이자 음악에 대한 재능이 없다."라는 교수들의 평가를 받는다. 에릭 사티의 피아노 선생님 조르주 마티아스는 "에릭 사티의 피아노 기술은 '무가치'하다"라고 말했다.

이런 평가를 받으며 자신이 좋아하는 일을 계속할 수 있는 사람이 얼마나 될까. 나는 프리랜서로 일하면서 어느 선배에게 "너는 이 일이 안 맞아. 일반 사무직이 맞는 것 같아."라는 말을 들었다. 회사에서 만난 직장 동료는 "회사보다 공무원이 어울리는 것 같다."라고 말했다. 누군가에게 걱정스러운 얼굴과 조언이란 말로 너는 재능이 없다거나 지금 하는 일이 나에게 맞지 않는다, 말한다면 복잡한 마음이 든다.

더구나 자신이 존경하는 인물이나 오랜 시간 옆에서 함께했던 사람이 해주는 말은 잠시라도 좋아하는 일에 대한 열정이 흔들리게 된다. 에릭 사티는 음악 학교를 그만두었다. 그리고 독학으로 작곡을 공부했다. 나 역시 여전히 좋아하는 일을 놓지 않고 10년 넘게 꾸준히 해오고 있다.

에릭 사티는 1887년에 고향을 떠나 생계를 유지하기 위해 몽마르트르에 있는 카바레 '르 샤 누아(검은 고양이)'에서 피아노 연주를 했다. 〈3개의 짐노페디〉 역시 이 시기에 작곡한 곡이다. 몽마르트르 거리에서 피아노를 연주하며 파블로 피카소, 마르셀 뒤샹을 비롯한 여러 예술가와 어울렸고 클로드 드뷔시, 모리스 라벨 등 음악가들과 친분을 쌓았다. 이곳에서 에릭 사티는 현대 예술에서 가장 상징적인 인물로 남아 예술세계를 확장해 나갈 수 있는 중요한 시기가 되었다.

그를 따르던 존 케이지는 "에릭 사티는 새로운 음악과 관련을 맺은 정도의 인물이 아니다. 그는 새로운 음악에 없어서는 안 될 존재였다." 라고 말했다. 이후 존 케이지는 이러한 생각을 '미니멀리스트' 배경 음악 이론으로 계승했다. 에릭 사티는 음악 활동 이외에도 미니멀리즘이나 부조리극 등 20세기 예술운동에 적극 참여했다.

에릭 사티는 풍자와 해학을 즐기는 기인이었다. "나는 이 늙은 세상에서 너무 젊게 태어났다." 자신의 자화상 아래 남긴 글이다. 에릭 사티는 자신이 작곡한 곡에 뜻을 직관적으로 알기 어려운 제목을 정하였는데, 자신의 스타일을 '짐노페디스트'라 부르기 시작했다. 짐노페디는 영어 짐노페디아(Gymnopaedia)의 프랑스식 표기다. Gymnos는 고대 그리스어로 '알몸의'를 뜻하며, paedia는 '청춘, 젊은이'를 의미한다. '짐노페디'란 말은 고대 스파르타에 뿌리를 두고 있다. 헤로도토스와 플라톤에 따르면, 매년 열리는 '짐노페디아' 축제에서 그리스 청년들이 운동과 전투 기술을 과시하기 위해 나체로 전투와 같은 춤을 추며 신전을 돌면서 아폴로 신에게 경의를 표했다고 한다.

에릭 사티는 1888년 〈3개의 짐노페디〉를 작곡했다. 그중 내가 자주 듣는 음악은 〈짐노페디 1번〉이다. 대중적으로 가장 잘 알려진 곡이다. 마음을 차분하게 가라앉히고 들뜬 마음을 진정시켜 주어 일에 집중할 수 있다. 잠이 오지 않을 때도 듣는다. 듣다 보면 잠이 스르륵 들어버린다. 수면에 도움이 된다. 무한 반복하며 그야말로 집에서 듣기 좋은 소리 중 하나다.

산길을 걸으며

산을 오르거나 산책하며 듣는 플레이리스트가 있다. 기분을 환기하게 하며 걸음에 힘을 실어주는 곡들로 채워 넣었다. 그중에 흐름이 끊기지 않고 긴 시간 걸으며 듣는 음악이 있다. 라흐마니노프의 〈피아노 협주곡〉이다. 주로 듣는 버전은 피아니스트 조성진이 2018년 핀란드 헬싱키에서 공연한 〈피아노 협주곡 2번〉 연주 영상이다. 〈피아노 협주곡 2번〉은 40분이 조금 안 되는 시간으로 산을 오를 때 들으면 좋다. 산에서 내려갈 때는 40분 정도 되는 〈피아노 협주곡 3번〉을 들으면 된다. 〈피아노 협주곡 3번〉은 피아니스트 임윤찬이 2022년에 '반 클라이번 국제 피아노 콩쿠르'에서 우승한 공연 영상을 자주 본다.

2시간 산책하며 듣기에도 좋다. 요즘은 산책을 자주 못했다. 미세먼지가 너무 심하다. 공기 좋은 곳에서 살고 싶다. 가족 여행으로 충북 제천에 있는 비봉산에 갔다. 비봉산 전망대 위에서 내려다본 산 아래 호수와 풍경은 아름다웠고 숨이 탁 트인 공기는 맑았다. 청풍호반 케이블카를 타면 바로 정상까지 오를 수 있어 부모님과 함께 가기 좋다. 미세먼지를 창문으로 꾹 닫아 막고 라흐마니노프의 〈피아노 협주곡 2번〉을 들으며 산을 오르는 풍경을 떠올린다.

눈보라가 치는 산을 한 남자가 오르고 있다. 두껍게 쌓인 눈 위로 힘겹게 한발 한발 발자국을 찍으며 나아가고 있다. 얇은 검은 외투를 한 손으로 감싸 쥐고 푹 눌러쓴 모자를 남은 한 손으로 잡으며 온몸을 앞으로 숙인 채 칼바람 속을 걸어 오른다. 앞이 보이지 않는다.

세찬 바람에 저절로 뭉쳐진 눈덩이가 스쳐 날아간다. 남자는 그 사이로 천천히 무거운 걸음을 걷고 있다. 끝날 것 같지 않은 산 정상 위에 도착한 남자는 눈앞에 펼쳐진 호수를 바라본다. 푸르른 나무들이 무성하다. 호수의 물결은 잔잔하다. 맑은 공기는 시원하고, 바람은 따뜻하며 마음은 평화롭다.

라흐마니노프의 〈피아노 협주곡 3번〉은 듣는 것도 좋지만 연주 영상을 계속 보게 된다. 임윤찬이 연주한 라흐마니노프의 〈피아노 협주곡 3번〉 공연 영상을 보면 마지막에 울컥함이 있다. 마음을 움직이는 소리가 예술의 힘이 아닐까, 한다. 라흐마니노프의 생애가 음악에 녹아 있어서인지 모른다.

세르게이 라흐마니노프(Sergei Vasil'evich Rachmaninov)는 1873년 러시아 귀족 가문에서 태어났다. 네 살 때 어머니에게 피아노를 배우기 시작하여 1885년에 모스크바 음악원에 들어가 피아노와 작곡을 배우고 모스크바 음악원에서 역대 3번째로 금메달을 받는다. 1892년 라흐마니노프는 뛰어난 음악적 재능을 나타내며 음악원을 수료하게 된다. 라흐마니노프는 자신감으로 가득 차 작곡한 〈교향곡 1번〉을 야심차게 발표한다.

충북 제천 비봉산

24살에 영혼을 담은 교향곡을 공연하며 세상에 알린 라흐마니노프는 찬사가 아닌 엄청난 비난과 악평을 받게 된다. 비평가 세자르 큐이는 "모세가 이집트에 내린 일곱 개의 재앙을 보는 것 같다. 주제의 빈곤과 왜곡된 리듬, 곡 전체를 뒤덮는 우울함이 지옥의 음악 학교에서나 들을 법한 음악이다."라고 신랄하게 비난했다.

교향곡 1번의 실패로 라흐마니노프는 그로부터 3~4년간 작곡 활동을 전혀 하지 못했다. 라흐마니노프는 극심한 우울증에 시달렸다. "금방이라도 발작을 일으키고 기절할 것처럼 멍한 나날들을 보냈다."라고 라흐마니노프의 기록 중에 남긴 말이다.

라흐마니노프는 우울증 끝에 정신의학박사 니콜라이 달을 찾아간다. 니콜라이 달 박사는 '자기 암시요법'으로 라흐마니노프를 치료한다. '자기 암시요법'은 최면을 걸고 같은 말을 반복적으로 하는 심리요법이다. 니콜라이 달 박사는 라흐마니노프에게 "당신은 곧 새로운 협주곡을 작곡할 것이며 그 곡은 큰 성공을 거둘 것입니다."라고 반복해서 말해주었다.

1901년 우울증을 극복한 라흐마니노프는 〈피아노 협주곡 2번〉을 작곡하게 된다. 〈피아노 협주곡 2번〉을 자신이 직접 연주하며 모스크바 필하모닉 오케스트라와 초연을 올렸고 사람들은 언제 그랬냐는 듯 찬사와 함께 낭만 시대 후기의 대표적인 작품으로 평가되었다. 이 작품으로 큰 성공을 거둔 라흐마니노프는 〈피아노 협주곡 2번〉을 니콜라이 달 박사에게 헌정했다.

에릭 사티가 음악에 재능이 없다는 평가를 받고 방황했다면 라흐마니노프는 음악적 재능과 주변의 기대로 ·넘쳤던 자신감이 무너지는 경험을 했다. 누가 더 고통스럽고 힘들었을지 알 수 없다. 그런데도 어려움을 극복하고 클래식 음악에 남아 있는 작품이 된 것은 같다.

내일은 비가 온다고 한다. 미세먼지가 가라앉아 창문을 활짝 열고 맑은 하늘을 바라보고 싶다. 날이 맑으면 라흐마니노프의 〈피아노 협주곡 2번〉과 〈피아노 협주곡 3번〉을 들으며 산길을 걸어도 좋겠다.

파도를 느끼며

온라인으로 영상 하나가 왔다. 파도가 치는 바다 영상이다. 하늘과 바다가 긴 지평선으로 나누어져 사진처럼 고정된 푸른 배경에 하얀 물결이 움직인다. 파도 소리가 영상을 가득 채운다. 동생은 가끔 바다를 보고 온다. 바다 앞에서 파도 소리가 들리는 영상을 보낸다. 머리가 복잡해서 비우고 왔는지, 마음이 무거워 버리고 왔는지 모른다.

나에게도 혼자 떠난 바다 여행이 있다. 제주도에서 일주일이었다. 비행기로 제주도 공항에 내려 배를 타고 우도 섬으로 들어가 대부분의 시간을 보냈다. 보통은 배를 타고 들어와 두 시간 정도 우도를 돌고 다시 배를 타고 나간다. 나는 우도에 남아 바다를 보고 또 봤다.

다음 날 새벽에 뜬 별을 보며 일어나 우도봉 인근에 있는 우도등대로 올라간다. 해가 떠오르기를 기다리며 음악을 듣는다. 루도비코 에이나우디의 피아노 모음곡이다. 피아노 연주곡 중 〈Divenire(디베니레)〉는 이탈리아어로 ~이 되다(becoming)라는 의미로 '성장하다', '변화하다'라는 뜻도 있다. 〈Divenire〉를 들으면 바다 위로 서서히 떠오르는 태양의 모습이 연상된다. 전등불을 밝히며 섬으로 돌아오는 고깃배들을 지켜본다. 고깃배들의 불빛은 검은 바다에 내리는 별이 된다.

일출을 보고 내려와 자전거를 타고 우도 섬을 돌며 바닷길을 달린다. 루도비코 에이나우디의 피아노 연주곡 〈Experience〉을 듣는다. Experience는 영어로 '경험'을 말한다. 해변을 자전거로 달리며 바닷바람을 맞는다. 산호가 풍화되어 백사장이 된 산호 해변과 화산암이 풍화되어 생긴 검은 모래사장의 검멀레 해변을 간다. 인어상이 세워져 있는 하고수동 해변도 둘러본다. 저녁에는 우도 땅콩 막걸리 한 잔에 저녁을 먹고 해가 지는 바다 풍경을 보며 걷는다. 걷다가 해변에 앉아 파도 소리를 듣는다.

루도비코 에이나우디(Ludovico Einaudi)는 1955년 이탈리아 토리노에서 태어났다. 아버지는 이탈리아 문학계에서 중요한 출판사로 손꼽히는 에이나우디 출판사의 설립자이자 경영인이다. 문화계 인사들 속에서 자란 루도비코 에이나우디는 1982년 밀라노 베르디 음악원을 졸업하여 전통적인 클래식 작곡가로 경력을 쌓았지만, 새로운 장르에 도전하여 세계적으로 인정받는 영화음악 작곡가로 이름을 알리고 있다.

그의 음악은 자연과 잘 어울린다. 알프스를 산책하며 그 감상을 음악으로 작곡하여 〈Seven Days Walking〉 앨범을 만들고 환경단체 그린피스와 손잡고 노르웨이 빙하지대 바다 위에서 〈북극을 위한 애가〉를 연주했다. 루도비코 에이나우디는 말한다.

"나는 정의하는 것을 싫어하지만, '미니멀리즘'이 우아하고(elegance), 개방적인(openness) 음악을 지칭하는 단어라면, 나는 다른 어떤 것들보다 미니멀리스트로 불리고 싶다."

제주도 바다

루도비코 에이나우디의 피아노 연주곡인 〈Nuvole Bianche(누볼레 비앙케)〉는 이탈리아어로 '흰 구름'을 의미한다. 해변에 앉아 잔잔하게 흘러가는 구름을 바라본다. 〈Nuvole Bianche〉의 간결한 멜로디를 들으며 바다를 바라보면 파도 소리와 한없이 어울린다.

참고서적
〈1일 1클래식 1기쁨〉 클레먼시 버턴힐 지음, 김재용 옮김
윌북 출판사 2020